つぼの名称と位置

本書で紹介している主なつぼです。生まれたばか〔り〕つぼの位置がはっきりしないため、つぼの周囲を

- いんどう　印堂
- げいこう　迎香
- けんぐう　肩髃
- だんちゅう　膻中
- ちゅうかん　中脘
- てんすう　天枢
- ろうきゅう　労宮
- しんけつ　神闕
- あしさんり　足三里
- さんいんこう　三陰交
- たいとん　大敦

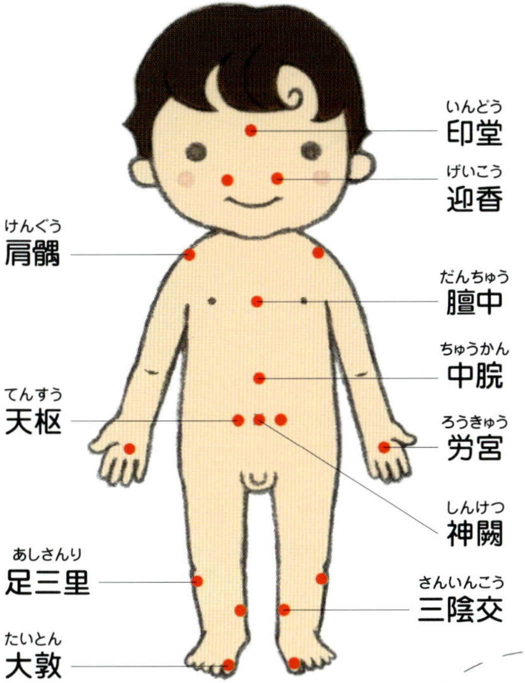

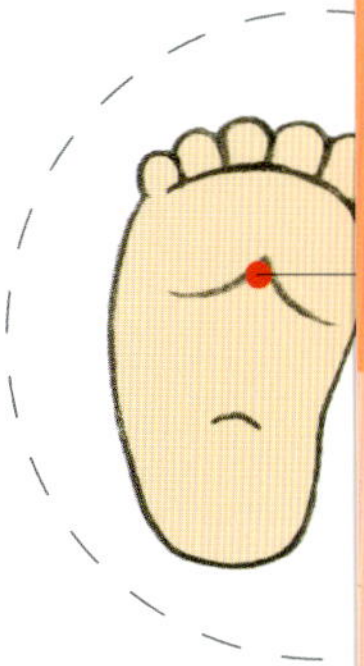

キリトリ

いつでも どこでも ベビー体操

この用紙を切り取って見やすいところに貼り、楽しくベビー体操を行いましょう。

ベビー体操

遊び感覚で、ベビー体操をしましょう。お母さんはそっと手を添えてあげてください。

月齢別

3ヶ月頃
（首がすわってきた頃）

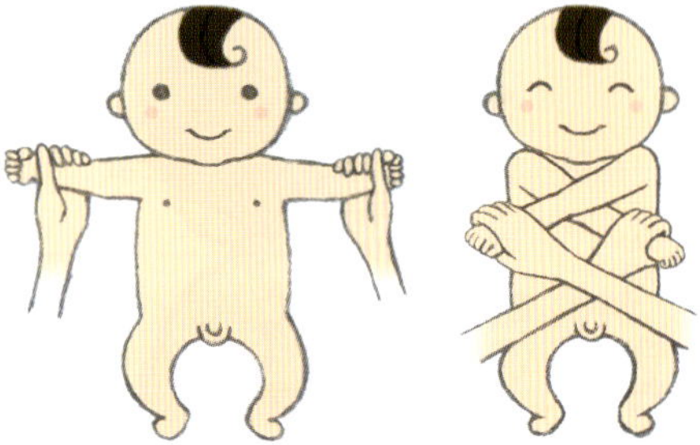

［腕の交差運動］
手を開いて閉じて、開いて閉じて

5ヶ月頃
（寝返りができる頃）

［足の曲げ伸ばし］
キック、キックと合わせて両足キッ〜ック

6ヶ月から10ヶ月頃
（はいはいする頃）

［腕のあげおろし］
腕をあげて、おろして、あげて、おろして

10ヶ月〜1歳2ヶ月頃
（つかまり立ちする頃）

［足をあげる運動］
両足を持ち上げて、お母さんは手で支えて

東洋医学で自然治癒力を高める

0ヶ月からの

ベビーマッサージ & つぼ療法

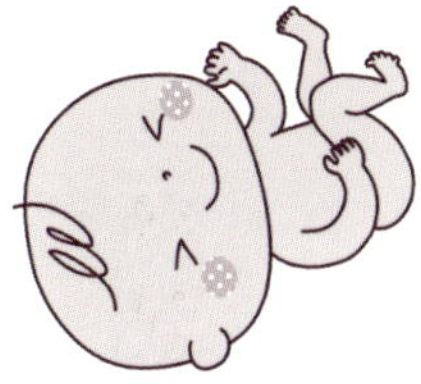

辻内敬子　小井土善彦

はじめに

子育ても、育児もすでに妊娠·出産からはじまっています。妊娠中から、赤ちゃんの健康、育児についての知識や関心があることで、スムーズに親子の生活がはじめられるようです。女性の妊娠期は産むことを選択した時から、自分のこと、家族のこと、そして産まれてくる子どものこと、未来のことまで、さまざまなことを考えるようになります。

そして生命の誕生。女性は出産体験によって多くの事に気づき、健康や体のことを再び強く意識することができます。産後は、育児や子育ての不安や、心配が続きますが、共に生きていこうとしている赤ちゃんと家族がいます。

あなたの周りには、あなたや赤ちゃんのこと、一緒に語るたくさんの仲間や、サポートするシステムがあります。どんな時も一人で背負い込まないで、周りからも力を借りて、知恵とアイデアを身につけ、元気をつけていきましょう。

子どもの健康ほど親にとって気になることはありません。元気に大きく育って欲しいと願います。季節の変わり目など、大人にとっては何でもないような刺激が、赤ちゃんには大きく影響して発熱、下痢、夜泣きなどといった症状を起こすことがあります。そんな時に子どものつらい症状を軽減できたり、手当の方法を知っていたならどんなに心強いでしょう。そんな思いから、家庭で手軽にできるベビーマッサージを、子どもの健康増進と病気予防に役立ててほしいとマッサージ教室でおすすめしてきました。

赤ちゃんは最近まで、まっ白な紙のように何も知らないで産まれてきて、産まれてからだんだん経験を書き込んだりしていくと思われてきました。しかし、これは赤ちゃんの研究によって、実は私たち大人が気がつかなかっただけということがわかってきました。赤ちゃんは、周りの環境を観察し、その空気を感じています。お母さんをよく見ていますので、お母さんがほほえむと、赤ちゃんもまねをしてほほえみます。人間関係における最初のコミュニケーションは、身近な人から築きあげていきます。赤ちゃんは穏やかに語りかけられる言葉、ほほえみ、ほおずり、温かい手の温もり、すべてを感じています。ベビーマッサージやその語りかけを積極的に取り入れて吸収することができる、体と心を持っているのです。温かい手で優しく愛撫されることは、皮膚だけの刺激にとどまらずに、赤ちゃんの心にとって心地よさや安心感などの気持ちよさを引き起こします。

　ふれあいとコミュニケーションのベビーマッサージは、いつでも、どこでもかんたんにできて手軽であることが必要です。この東洋医学からのベビーマッサージは、そんな親子のふれあいにぴったりです。そして、体の調子を整える作用もあります。親にとって、家族にとって、元気で丈夫に育てたいと思う気持ちに適しています。

　東洋医学からのベビーマッサージは、「ふれあいの手」に「癒しの手」を加えます。ベビーマッサージはふれることからはじまります。ふれていくうちに慣れていきますので積極的に行っていきましょう。あなたの手はすぐに、「魔法の手」に変わります。

　さあ、天からの授かりものに、「産まれてきてくれてありがとう」、「共に生きていこう」の思いを手の温もりにのせて、「元気に大きく育ってね」とベビーマッサージを行っていきましょう。赤ちゃんは健康、成長、愛、すべての思いをそのマッサージから感じ取りすくすく育っていきます。

　ベビーマッサージは、お互いのメッセージを感じ合い、育児を楽しむためのの手法です。赤ちゃん時代に感じた心地よさを、体はいつまでも覚えていて忘れません。このベビーマッサージは、やさしさにあふれた手の温もりと小さな頃の思い出となり、親と子、人のとコミュニケーションの基礎となっていくでしょう。赤ちゃんの心と体を心地よく癒し、いつもホッとする時間となることと思います。

しかし、赤ちゃん時代にはたくさんある皮膚を通してのコミニュケーションが、ちょっと体が大きくなると途端に少なくなります。でも、いつでも手軽にできて道具も必要がないベビーマッサージは、面倒でなく続けやすいものです。背中に手が置かれたなら、体の強ばりがほぐれ、気持ちよさを感じることができます。置いた手から、成長した我が子の今を知ることができるのです。

言葉を発していなくても、体は語ります。つらい、楽しい、怒っている、その感情を感じ、受け入れ、癒すことができるのがマッサージです。目の前の愛おしい赤ちゃんにはベビーマッサージを、大きくなったなら親子マッサージをしてほしいと思います。親子で一緒に行うことで、楽しい、幸せという感覚を共有してほしいのです。子どもが具合が悪いと訴える時は、何か不安のサインであることが多いといいます。一緒に時を過ごし、その不安に寄り添い、癒しのマッサージが行われることを願います。不調を訴えた時には、ベビーマッサージが手当と癒しにつながれば幸いです。

「0ヶ月からのベビーマッサージ」刊行に寄せて

明治鍼灸大学健康鍼灸医学教室　矢野 忠

東洋医学では、「心身一如」として「からだ」と「こころ」は一体であるととらえます。従って、「からだ」の変調は「こころ」に、「こころ」の変調は「からだ」に現れるととらえ、そうした場合には「からだ」に心地よい刺激を与え、「からだ」の調整を通して「こころ」の変調を是正しようとします。無理なく「からだ」自らが「こころ」に語りかけ、心身の調和をはかろうとします。中でも「からだ」に最も有効な感覚が触覚であり、それには「手」による刺激がなにより有効です。ケアの本質は、共感と思いやりとされ、共感は目で、思いやりは手で行います。

しかし、医療の原点が「手当て」とされているように、手はより多くのことを為し得ます。その手によるケアを最も必要としているのが子どもたちです。 母と子とがふれ合うことによって社会的な絆がつくられるといわれています。適切な接触があれば、親子関係には安定した情緒関係が成立し、基本的な人間関係の基礎が確立されます。また、母子がふれ合う過程で、子には「育つ力」が、母には「育てる力」が養われるといわれています。かつては家族の原風景は、子どもを中心とした家族同士のふれ合う光景でした。ふれ合うことによって、お互いを理解してきました。また、人へのいたわりという温かな心が育まれることも知っていました。

現代の家族構成の中で、その智恵を東洋医学的な観点から再創造し、家族の中で活かそうとしたのが本書です。ふれ合うこと、それは立派なコミュニケーションです。そして心身のケアでもあります。そのことをお母さん方にもっと知って欲しいという想いをこめて、辻内先生と小井土先生は執筆されたものと推察しています。

殊に辻内先生は、臨床経験豊かな鍼灸師です。長年「赤ちゃんマッサージ」教室を主宰され、日本の子どもたちに適した方法を研究されてきました。そうした内容をわかりやすく、しかも実用的な内容にまとめられました。本書を利用される方は、きっと親子の温もりを体感して実感できるものと確信しています。

目次

第1章

第2章

第3章

第4章

第5章

番外編

第1章

東洋医学における
ベビーマッサージ

ベビーマッサージとは

　赤ちゃんが泣きぐずっています。いつものように、抱き上げてあやしてみても、オムツを替えても、おっぱいを飲ませても泣き止みません。いつもの様子とは、ちょっと違うようです。おでこに手を当てても体温計で計ってみても熱はありません。どこか具合でも悪いのかしら?と、不安になって、慌てて駆けつけた病院で「何でもないですよ。安心して下さい」とお医者さんから言われ、ホッと胸をなで下ろしたことがみなさんにもあると思います。病気がちな赤ちゃんも健康な赤ちゃんも、調子が良いときも悪いときもあるのでしかたがないことですが、そんな時に本書でご紹介するベビーマッサージがみなさんの心強い味方になってくれるはずです。

　ベビーマッサージは、自律神経、ホルモン、免疫などに働きかけ、自然治癒力を高めてくれます。自然治癒力が高まると症状が軽くなり、薬の量を減らしたり弱い薬へと変えたり、再発の予防や回復を早めるなどの効果が期待できます。病気でない時も胃腸が丈夫で、病気にかかりにくい体をつくってくれます。

　マッサージに慣れてくると、お子さんの皮膚の状態が少しずつ手で感じ取れるようになってきます。風邪をひく前には必ず足が冷たくなるお子さん、足の裏がベタベタしてきたなと思っていたら下痢になるお子さん、手で感じ取った皮膚のサインとお子さんの体調との関連がわかるようになれば、病気を予防することも応急処置することもできるようになるので安心です。自分が疲れているときにマッサージをするのは大変ですが、病気にかかりにくくなり、病院に行く機会が減って育児が楽になったという声も寄せられています。

　本屋さんやインターネットで調べてみると、ベビーマッサージに関することがたくさん紹介されていますが、東洋医学の手法を用いたベビーマッサージのことはあまり多くないようです。中国では小児麻痺やてんかんなどの治療に小児按摩が、日本では夜泣きや疳の虫をはじめ夜尿症や喘息などにも小児はりが取り入れられています。東洋医学は、病気を診るだけではなくその人（子ども）全体を診て治療をすることを特徴のひとつにしています。

　また、冷え、湿り気、ざらつきなど皮膚に現れている様々な症状から体の異常を見つける診察法があり、それらの症状に対しても積極的に治療し、体調を整えながら症状を和らげていきます。診察点であり治療点でもあるつぼのほとんどが皮膚の上にあることからも、東洋医学が皮膚をいかに大切にしているかがわかります。ですから、ベビーマッサージをする時も、皮膚にそっとふれたりなでたりさすったりしながら、指や手に感じ取れる皮膚の状態により赤ちゃんの体調をつかみ、その皮膚（体調）の変化を感じ取りながらマッサージをしていくことが大切です。

　マッサージにはさまざまな方法がありますが、生体の機能を亢進させたり奮い立たせたりして自然治癒力を高める効果が期待でき、皮膚の変化を敏感に感じ取れるような軽い刺激によるマッサージからはじめることをおすすめしています。そのうえで循環を良くし、新陳代謝を盛んにし鎮痛効果も期待できる刺激の強さとを、ひとりひとり違う赤ちゃんの体と目的に合わせて使い分けられるようなマッサージができれば、すばらしいことです。刺激は強いほうが効果があるように感じられる方が多いかと思いますが、弱い刺激だからこそできることがあり、見えてくることもあります。刺激の量を増やすのは、皮膚の状態を感じとれる手になってからでも遅くはないと考えています。

　本書では、東洋医学的な発想と手法を用いて治療してきた経験とベビーマッサージ教室を開いてきた経験をもとにまとめたベビーマッサージ法をご紹介します。特別な道具を使うこともなく手だけで、マッサージをされる側もする側も元気になれる、そんなベビーマッサージです。

ベビーマッサージの特徴

お母さんがふだんから行っている赤ちゃんへの「ふれあいの手」に、さらに「手当の手」「癒しの手」をつけ加えてマッサージしていきます。赤ちゃんからの、体と心のメッセージを敏感に感じ、「あなたが大好きよ。元気になあれ」「心配しなくて大丈夫よ！お母さんはココにいるよ」と、気持ちをのせてマッサージしましょう。

❶ 使う道具は手

このベビーマッサージで使うのは、温かい手です。オイルもエッセンスも使いません。赤ちゃんへの愛おしさがあれば十分です。

❷ 誰でもできます

赤ちゃんにとって一番身近な存在はお母さん。もちろん、赤ちゃんを愛する誰もができるベビーマッサージです。赤ちゃんにふれていくことによって、お母さんもお父さんも親としての自信が持てるようになります。赤ちゃんは大好きなお母さん、お父さんからふれられることによって、安心し情緒が安定します。

❸ 手で情報をキャッチ

東洋医学では、体の変化は皮膚表面に表れると考えられています。お母さんはマッサージをする手の感覚を研き、赤ちゃんの皮膚からの情報を感じ取ることが大切です。ベビーマッサージを続けていくと、お母さんの手は赤ちゃんの変化を感じる魔法の手になります。まずは、お母さんの手を皮膚にぴったりそわせ、赤ちゃんの体をなでたりさすったりしていきます。

ふれているうちに、赤ちゃんの皮膚の冷たいところ、ざらついているところ、張っているところやこりなどを感じることができます。いつもと違う冷たさや、ちょっと変だと感じた部分には、そっとその部分を温めるように手をそえていく「手当の手」がベビーマッサージの基本です。回を重ねるごとに赤ちゃんの気持ちいいと感じるさわり方が分かってきます。

4 皮膚からのサインを見つけます

赤ちゃんは「ここが痛い」「ちょっと変だよ!」と言えませんから、お母さんがふだんから、顔色・機嫌・活発さ・食欲・睡眠・便の状態を観察していきます。赤ちゃんの泣き声、表情、顔色、匂いなどから赤ちゃんの様子を的確に情報処理して判断し、その判断材料に皮膚からのサインも加ていきましょう。

東洋医学では、「病の応えは体表に表れる」と考えられています。西洋医学でも内臓機能の変調は、皮膚の色つやなどに表れるといいます。お母さんも毛穴の開きや色つやなど皮膚の状態を観察してみましょう。特に赤ちゃんは、体の反応が早く皮膚に表れます。

5 軽いタッチが基本です

赤ちゃんの皮膚は敏感です。軽く、やさしく、柔らかになでることが大切です。こすりすぎると皮膚表面にある大切な情報を見失ってしまいます。赤ちゃんの体調や体質によって、さわる圧や力の入れ具合は違います。同じ赤ちゃんでも元気いっぱいの健康な状態の時は、皮膚には張りがあり弾力に富んでいますが、風邪気味の時や体調が悪い時は、いつもと違って弾力に欠けた状態になっています。やさしくそっとふれることで多くの情報を感じ取ることができます。

6 皮膚は防御のバリアです

東洋医学では、過度の暑さや寒さなどの気象条件も、病気の原因になると考えられています。体の外から忍び込む邪、すなわち「外邪」です。

風邪は、「風」の「邪」が肩や首筋など弱くなったバリアから侵入しやすいので、体の中へ外邪を侵入させないためには、皮膚表面にあるバリア＝「気」を強くすることです。病気をよせつけないバリアを作るためにも、皮膚の機能を高めるベビーマッサージを行っていきましょう。

皮膚のバリアを高めるには、全身の血液循環を良くし、体の中のパワーを充実させ、皮膚表面に気のバリアをはりめぐらすようにします。ベビーマッサージを行うお母さんの手は、赤ちゃんの皮膚表面のバリアを強くし、免疫力をアップさせ、病気をよせつけない体をつくります。

7 心の影響は体にも影響を与えます

お話できない赤ちゃん時代は、泣いてその欲求を訴え、お母さんとのコミュニケーションをとろうとしています。赤ちゃんの泣き声に反応して、その欲求を満たしてあげることが、赤ちゃんの心に限りない安心感を与え、その積み重ねによって情緒が安定した人間に成長していきます。

心身一如の医学として発展してきた東洋医学は、心の状態は体の状態に影響を及ぼすと考えています。過度に怒りすぎるなど感情がかたよると、体の中に「内邪」をもたらし、病気が発生しやすくなります。泣いたり怒ったりすると、体の中を流れている気が滞ってしまいます。怒ることを「逆上する」といいますが、頭がカッカしている時には気が上がった状態に陥っているので、気を落ち着かせるようにベビーマッサージしましょう。体全体を、気がゆったりさらさらとスムーズにめぐっているようなイメージで、なで、さするのが東洋医学におけるベビーマッサージです。

8 以心伝心

お母さんと赤ちゃんとのコミュニケーションの一つとしてベビーマッサージを行い、赤ちゃんの体を感じることができたなら、心の変化も感じとれるようなベビーマッサージができます。もちろんお母さんのその日の状態も赤ちゃんに伝わります。赤ちゃんはお母さんの笑顔が大好きです。そして赤ちゃんはお母さんにパワーをくれる太陽です。赤ちゃんもお母さんも以心伝心、微笑みと癒しのキャッチボールを楽しみましょう。

9 体のパワーを充実させていきます

東洋医学では、赤ちゃんはお父さんお母さんから受け継いだ生命エネルギーを持って生まれてきたと考えられています。二人の生命エネルギーを受け継いで生まれてきた赤ちゃんは、自らが吸収する栄養と運動などの生命活動によって、さらに成長し発育していきます。両親から授かった生命エネルギーは、「命門」といわれる場所で守られ、これからの成長発育のためのパワーになるのです。赤ちゃんの生命エネルギー「元気の源」を守り、赤ちゃんから幼児へ、さらに児童へと大きく育つよう願いをこめてマッサージしましょう。赤ちゃんの命を守り育てていくという気持ちをこめて行うと、さらに体も元気もパワーアップしていきます。

⑩ 手から伝わる温もりと癒しの気持ちが大切です

転んだ時、お母さんが「痛いの痛いのとんでけ～」と、痛い所にそっと手を当ててくれた思い出は誰にでもあるでしょう。涙も痛みの気持ちもふ～ふ～と吹いて飛ばしてくれたように、手を当て、さする、楽になるタッチが原点です。

⑪ 気持ちよさと幸せ気分が第一です

赤ちゃんがうれしそうにして、お母さんも楽しくて気持ちいいが一番です。赤ちゃんの笑顔は、ベビーマッサージを行う人を幸せな気分にしてくれます。子どもがかわいいと感じる瞬間が多くなり、育児にも自信が持てるようになります。ふれあうことや楽しいと思う気持ちが、ベビーマッサージを続けられる原動力です。

ベビーマッサージを受けると、うれしい、楽しい、気持ちいいと感じる信号が脳から発信され、体を活性化していくといわれています。0ヶ月から始めるベビーマッサージには、その気持ちいい刺激が大切です。

ベビーマッサージの効用

ちょっと鼻水が出てきた、鼻が詰まっている、汗がでなくて少し熱っぽい、そんな「ちょっと変だな」という状態の時こそ、ベビーマッサージをしていきましょう。「邪」（＝くせ者）が塀を乗り越え、屋敷の外でうろうろしています。外から、侵入してしてきましたが、まだ庭先（＝体の表面）にいて、屋敷（＝体の中）には侵入していません。そのような状態の時に、くせ者を退散させることができたらいいですね。

また、くせ者がどこから侵入しようかと見張りの少ないところを探してウロウロしていても、侵入させない状態を作っていくのが、まだ病気になっていない未病の時に治す「未病治」です。それには、皮膚のバリアは欠かせません。どこからもくせ者を侵入させない、自然治癒力で追い出すような体づくりもできるのがベビーマッサージです。

① お互いのスキンシップに効果的

赤ちゃんの扱いに慣れていない場合は、ふれることや育児に不安を感じてしまいがちですが、ベビーマッサージを行うことによって、赤ちゃんとのコミュニケーションもとりやすくなります。赤ちゃんの欲求にもタイミングよく応じることができるようになります。赤ちゃんとのスキンシップを通して、子育てにも、親としての自分にも自信がついていきます。肌のふれあいを通して信頼と親子の交流を図ります。

② お互いに気持ちが安定します

皮膚を軽くさする刺激は自律神経系に働きかけて、リラックス効果があります。ベビーマッサージを行っているお父さんお母さんにとっても、子育ての不安や健康などの心配、イライラなどが、目の前に存在している赤ちゃんを見てふれていくことで、和らいでいきます。産後すぐは、特に不安な感情や抑鬱気分に陥りがちです。でも、赤ちゃんの笑顔とお母さんの笑顔がお互いの気持ちを安定させていきます。見ているだけよりも、ふれることでさらに気持ちが安定していくのです。

❸ ニコニコ笑顔が増えてきます

子宮の中にいて守られた環境から外界へと出てきた赤ちゃんにとって、最初はお母さんに抱かれることが一番の安心感でしょう。東洋医学では、怒りすぎると筋のひきつれなども生じやすいと考えていますので、泣き叫びイライラしていたら、「そうか、そうか、怒ったの」、「悲しかったの」と、優しく語りかけ、赤ちゃんの言い分に耳を傾けながらふれていきましょう。それが赤ちゃんのストレスをなだめていくことにつながります。皮膚への心地よい刺激が、気持ちいいという快情動を起こし、リラックスへと導くことでしょう。

❹ お互い元気がバージョンアップ！

ふれていく刺激は、手や指先の末梢まで循環をよくする効果があります。もちろん手先、指先が温かく感じるようなウオーミングアップをしてからベビーマッサージを行うと、さらにアップしていきます。ふれられる人もふれる人も、心地よさがお互いの元気をアップします。

❺ 皮膚の能力を高めます

皮膚を軽くさする刺激は、自律神経系に働きかけ、さらに免疫系に働きかけることにつながります。皮膚は、病原菌をはじめとする様々な異物にさらされていますが、免疫の働きによって病気になることから免れています。皮膚へ浸入してくる異物を捕らえる細胞もあります。皮膚の働きが活性化し、風邪などひきにくくなります。

❻ 呼吸を深めます

泣いて欲求を知らせる時期もありますが、泣くことで体が緊張します。泣いたり怒ったりすると、肩や胸、お腹、背中の筋肉が緊張します。やさしくベビーマッサージをしていくことで、リラックスし、筋肉の緊張もほぐれていきます。リラックスすることにより、腹式呼吸ができるのです。

腹式呼吸は、内臓機能を活発化させるように働きかけています。呼吸を通して、天空の気を吸入し、生命維持作用として考えている天の気（すなわち元気）を生成し、全身に輸送していきます。呼吸を深めることは、体の元気をアップすることにつながり、深い睡眠や腸の働きも活性化します。

7 内臓機能パワーアップ！

皮膚への刺激は自律神経を通り脊髄や脳の中枢に伝わり、内臓の働きを活性化させ、消化、吸収、発育作用を促進し、抵抗力のある元気な子どもに育てます。消化吸収能力は、体に栄養を回して、活動のエネルギーになります。大事な生命維持活動の力をになう内臓機能を整えて、エネルギーを回すことが必要です。ベビーマッサージはそんな作用にぴったりです。

西洋医学では、「内臓·体表反射理論」によって皮膚と内臓は密接に関係し、内臓機能の変化は皮膚の栄養状態を左右するとしています。皮膚への刺激が内臓を活性化させます。

8 寝る子は育つ

ベビーマッサージによる効果で、ぐっすり眠れるようになるでしょう。緊張した気持ちをリラックスさせ、心地よくほぐしていきます。

親から受け継いだ元気は、自らの生命活動によって充実し、体の発育や成長につながっていきます。深く眠る、時間的にもしっかり眠る、睡眠の質も量も大切です。ぐっすり眠って、お日さまと共に起きる生活リズムで、「寝る子は育つ」です。

9 自然治癒力は自然のリズムとともに

病気にならない体づくりには、一つ目は、怒りすぎず、泣きすぎず、気持ちがゆったり安定していることです。二つ目は、成長に合わせた運動や外遊びが必要です。そして三つ目は、自然と調和して生きることが大切です。夏には汗をかき、冬には寒からを身を守り、四季折々のリズムを感じながら行うベビーマッサージが、さらに自然治癒力をアップさせます。

東洋医学にみる皮膚の不思議

私たちの体は、皮膚に包まれています。皮膚は、体の中にある水分や熱が奪われたり、有害なものが体の中に入るのを防ぐために、私たちの体をすっぽりと覆っています。暑い時は体温を下げるために汗をかき、寒い時は皮膚に流れる血液の量を減らし、体温を下げないように絶えず働いています。ケガをした時は、血液が出て傷口を洗い流し、出た血液が固まり傷口をふさぎ、細菌など体にとって有害な物が体内に入り込まないようにもしてくれます。また、骨の成長に必要なビタミンDやその他のホルモンの生成にも関わり、温度の変化や何かが体にふれるのを感じ取る機能を備えた最も大きな面積をしめる器官です。

皮膚が感じ取った情報は、脳に送られ、筋肉や自律神経、ホルモン、免疫など内部の環境を維持しようとする機能（恒常性保持機能：ホメオスタシスhomeostasis）に働きかけ、私たちが健康に過ごせるように役立っています。皮膚への刺激は体だけでなく感情や気分にも働きかけるため、発育にとって大切だということが最近わかってきました。人は、親から生きる力（原気または元気）を受け継いで、産まれてきます。東洋医学では、二つの気（栄気、衛気）が体内（臓器、組織、器官）と体表を結ぶ特殊なルート（経絡：けいらく）を滞りなく循環している状態が健康であり、病気とはそれらの気の流れが何らかの原因で変調をきたした状態であるととらえ、つぼや経絡に現れた異常な気の流れを改善することで、健康な状態に戻すことができると考えられています。

東洋医学は、皮膚へのほどよい刺激が、自律神経、ホルモン、免疫に働きかけ自然治癒力を高めることを、マッサージなどの手技療法や鍼灸として発展させ、病気の治療や予防に活用し続けてきたのでしょう。

健康チェックをしましょう

健康チェックをしてお子さんの状態を知っておきましょう。いつも気になる症状がありますか？ときどき気になる症状がありますか？次の表でチェックして症状の変化を知るきっかけや参考にしてください。

健康チェック表

対象 0ヶ月～1歳頃まで

- [ ] 1 目がよく赤くなる
- [ ] 2 汗かきである
- [ ] 3 よく泣く
- [ ] 4 風邪をひくと鼻水がでやすい
- [ ] 5 冬でもひどい汗をかく
- [ ] 6 食欲がない
- [ ] 7 吐くことがある
- [ ] 8 顔がほてって赤くなる
- [ ] 9 下痢をする
- [ ] 10 皮膚に湿疹ができる
- [ ] 11 風邪をひくと咳がでやすい
- [ ] 12 病気しやすい
- [ ] 13 ひきつけをおこす
- [ ] 14 皮膚が敏感で負けやすい
- [ ] 15 夜泣きをする
- [ ] 16 便秘がある
- [ ] 17 朝は決まった時間に起きない
- [ ] 18 夏でも手足が冷えている
- [ ] 19 アレルギーがある
- [ ] 20 神経質である
- [ ] 21 寝つきが悪い
- [ ] 22 寝る前にぐずる
- [ ] 23 ひどい寝汗をかく

幼児用（1歳から6歳頃まで） さらにチェックが増えます

成長とともにチェックする項目が増えていきます。幼児のお子さんには、
赤ちゃん用の健康チェック表に、さらに下記項目を追加してチェックしてください。

- [ ] 24 爪をかむくせがある
- [ ] 25 チックがある
- [ ] 26 まばたきが多い
- [ ] 27 おねしょをする
- [ ] 28 食べ物の好き嫌いがある
- [ ] 29 人にかみつく
- [ ] 30 指をしゃぶる
- [ ] 31 暑がりである
- [ ] 32 寒がりである
- [ ] 33 寝ぼけたり寝言をいう
- [ ] 34 すねる
- [ ] 35 どもることがある
- [ ] 36 自分の髪をひっぱる

ふだんの様子を知っておこう

ちょっとずつリズムがでてきたら、1日の生活リズム表を作り、ふだんの様子を知っておきましょう。

- [ ] 1 体温はどのぐらいですか?
- [ ] 2 機嫌はいいですか?
- [ ] 3 顔色は?
- [ ] 4 夜寝る時間や起きる時間は?
- [ ] 5 お昼寝の時間やリズムは?
- [ ] 6 おしっこの量やうんちの回数は?（オムツの濡れ具合や交換する枚数を知っておこう）
- [ ] 7 便の回数と、臭いや、形は?
- [ ] 8 便をする時の様子は?（便秘がちで顔を真っ赤にしていきむなど）
- [ ] 9 動きが活発ですか?
- [ ] 10 食事の量はどれくらいですか?
- [ ] 11 泣き方や、声の調子は?
- [ ] 12 大好きな遊びや歌は（好んでする行動）?

こんな症状に注意!!

お子さんに異常が起こると機嫌が悪くなったり、顔色が悪くなったりします。ふだんから自分の子どもの様子を知っておくと、変化が感じられ、読みとることができます。よく観察して、ふれて、診て、においを嗅いで、勘を働かせましょう。場合によっては応急手当をして、診療時間内に受診しておくとよいでしょう。ふだんの様子と違う泣き方、熱、下痢や嘔吐、顔色など全身症状を診て判断してください。症状によっては体のサインを見逃さずに、すぐにお医者さんと連絡をとりましょう。

- 具合が悪くてぐったりしている
- 発熱と発疹がありぐったりしている
- 月齢2ヶ月未満での38度以上の発熱
- 15分以上持続する長いけいれんや一日に複数回のけいれん
- 急の発疹に出血斑が見られる
- 血便
- おしっこすると痛がり、熱が高くなった時
- 咳・鼻汁だけの風邪なのに、高熱が出たりぐずついた時
- 足の痛みやけがをした時（骨折の可能性）
- 転倒して頭を打った時

子どもは病気にかかりやすく、そして2〜3日ですぐに回復する力も持っています。抵抗力も弱いのですが、病気が治った後は、同じ病気にならない体がつくられています。子どもの病気は早期発見、早期治療ですから、信頼できるホームドクターを持ちましょう。ふだんのちょっと気になる症状は、ベビーマッサージで自然治癒力を高め対処していきましょう。

第2章

ベビーマッサージを はじめよう

ベビーマッサージに必要なもの

ベビーマッサージをいつでも気軽に行うためには、準備が大変では続きません。準備はとてもかんたんです。

まず、気持ちを通い合わせる時間とお互いが集中できる空間をつくります。そのうち、場所はどこでも、お母さんから「ベビーマッサージをはじめるよ」と声がけしたら、気持ちいい、楽しい、待ち遠しいと感じる時間と空間ができてくると思います。そのためにも最初が肝心です。お母さんも赤ちゃんも楽しい気分で行える時間帯を選んでください。

道具

① おねしょマット、またはベビー布団

おねしょマット、またはベビー布団の上にバスタオルを敷きます。座布団でも十分です。裸にしたときにおしっこをすることもあるので、周りをよごさないようにビニールシートの上にバスタオルを敷いてもOKです。

② バスタオルやフェイスタオル

体温調節をするために、もう1枚バスタオルやフェイスタオルを用意しておきます。風の流れを感じたり、赤ちゃんがくしゃみをしたらお腹などにかけられるように用意しておきましょう。

③ おむつ

はずしたおむつは、お尻の下へ引いたままマッサージしてもいいでしょう。おしっこで濡れることもあるので、新しいものも用意しておくと安心です。

④ お尻ふき

気持ちよくなって、おしっこやうんちがでることもあるので、お尻ふきも用意しておく

と便利です。

⑤ ティッシュやガーゼ

よだれや汗が出ることもあるので、ティッシュやガーゼも用意しておきましょう。

環境

① 温度設定

室温は裸になっても寒くないような温度にしておきます。いつも一定の温度設定を心がける必要はありません。季節に応じた気温に体も皮膚も反応しています。28度以内が適温でしょう。あまりエアコンを使いすぎないように。冬は裸になっても寒くない温度設定がいいと思います。特に産まれたばかりの頃は、寒くしないことが大切です。赤ちゃんには寒い時期なら、暖か目を心がけます。エアコンの室温設定は、各家庭で効き方が違いますし、場所によっても感じる温度が違います。温度設定には、お母さん自身も着込まずに薄着になって、肌寒くなく温かく気持ちいいと感じる温度（おおよそ24度から28度程度）を季節に応じて見つけましょう。

② バスタオルで体温調節

赤ちゃんには、バスタオルを使用しながら体温調節していきましょう。暖かい部屋でもエアコンからの風が流れているような場合は、お腹にバスタオルをかけてあげると赤ちゃんも安心します。マッサージする部分の邪魔にならないようにしながら調節していきましょう。

③ 水分補給

マッサージが終わった後は、赤ちゃんは汗をかいたり、疲れたりします。汗をかいた場合は汗をふきましょう。のどが渇くのでおっぱいをあげたり、水分補給も心がけてください。母乳の赤ちゃんには、ほ乳びんからの水分補給は必要ありません。おっぱいを含ませてあげれば十分です。そのほかは白湯、水やお茶で水分補給してあげてください。もちろんお腹が空くような時間なら、ミルクをあげてください。

④ マッサージの時間

お腹がいっぱいの時やお腹が空いている時間帯を選ぶのは避けましょう。そのほかはいつでも都合のいい時間帯で構いません。

⑤ 赤ちゃんがまぶしくないように

強い日差しやまぶしいほどの明るさは赤ちゃん、特に新生児には禁物です。暗くする必要はありませんが、窓際からの日差しが赤ちゃんの目に入りにくい場所を選びましょう。蛍光灯の真下で行うことも避けてください。

⑥ テレビは消して、集中するひとときとして

お母さんがお気に入りの童謡を歌ってあげるのもいいでしょう。BGMがあってもいいですが、特に必要としません。それよりもお母さんの声かけが大切です。お母さんの声が聞こえていること、目をみて話しかけが行われていることが、赤ちゃんにとって一番の安心感を与えます。

⑦ 目と目でアイコンタクト

めがねをかけていても、コンタクトをつけていても構いませんが、目と目を合わせることを心がけてください。サングラスは避けましょう。

⑧ お母さんの匂い

赤ちゃんは、お母さんの匂いを知っているので、いつものお母さんの匂いが大切です。いつもの部屋で、いつもの匂いが赤ちゃんの気持ちを安定させます。あまり匂いの強いものを室内に置くのはやめましょう。また化粧品や香水など香りの強い物は控えましょう。

⑨ 洋服は綿製品の清潔なものを

赤ちゃんを抱っこする機会が多い時ですから、動きやすい、綿などの服を着て過ごしましょう。肌の弱い赤ちゃんには、刺激の多い毛製品や、レース、飾りものが多い服は、肌あれやアトピーを悪化させる傾向があるので、肌にふれるものは清潔な綿のシャツで動きやすい服装をおすすめします。

ベビーマッサージをする姿勢

正座、または赤ちゃんを広げた足の間にはさんだ姿勢が、ベビーマッサージを行いやすいようです。自分が一番やりやすいと思う楽な姿勢を選びましょう。

アドバイス

それでは、ベビーマッサージはいつ行っていきましょうか？おやすみ前のお布団の上で行いますか？起きた時に着替えさせるタイミングで行いますか？午前中、もしくは午後のひとときに行いますか？

お布団の上で、赤ちゃんが眠る頃や着替えの時などが、はじめやすく行いやすいものです。はいはいなどで動き出した時に、このベビーマッサージが習慣づいていると、眠りにつく前にお布団の上で、お母さんの手を待っているようになります。お母さんも行いやすく習慣づけられるような時間帯を選んでいくといいでしょう。

ベビーマッサージの基本と心得

新米お母さんが赤ちゃんにふれる時、その扱いに少しずつ慣れていくように、ベビーマッサージもすぐに慣れますので心配はいりません。赤ちゃんのほうから気持ちいいさわり方を教えてくれます。そのためにはベビーマッサージを行う時は集中し、赤ちゃんの体と心のメッセージを感じてください。お母さんも赤ちゃんもお互いが気持ちいいと感じたなら、お互いの心にも体にも、「気」が流れはじめ、元気になっていくことまちがいなしです。ベビーマッサージの皮膚刺激は、お母さんと赤ちゃんの親子の交流にとどまらず、より健やかな発育や発達にも貢献していくでしょう。

① 気持ちを整え、言葉がけの合図からはじめます

ベビーマッサージをはじめる時は気持ちを整えてから、赤ちゃんの目を見て「はじめますよ」の言葉がけの挨拶をします。終わりにする時は、「ハイおしまいです」と、声をかけて終わりの合図をします。お互いに目を見て、挨拶の言葉をかけることによって、気持ちもベビーマッサージに集中していきます。集中することによりお母さんの手はパワーハンドに変っていきます。赤ちゃんが途中で眠ってしまった場合でも、体全体を流すようにそっとさわり、終わりの合図をして声をかけておきましょう。

② 0ヶ月から3ヶ月は、そっとふれるようにさわります

ふれる部分の大きさに合わせて人差し指や中指、薬指の2〜3本の指を使います。指の腹を皮膚表面にそわせ、ガーゼが肌にふれるような力加減でさわります。その刺激は皮膚の張りや柔らかさによって変化していきますが、宝物にふれるような気持ちでそっとさわります。

③ 寝返りができる頃から1歳頃は、優しく包むようにさわります

寝返りができるようになってきた頃からは、手のひら全体をしっかり皮膚に密着させてなでていきます。強くこする必要はありません。猫の爪研ぎのように爪を立てずに、不快感や痛みを感じさせないようなさわり方を心がけます。手のひら全体でふれることがポイントです。体の情報が伝わってきます。

④ さらりさらりと流れるような手のさわり方です

こするような手の動きではなく、手をそっと置く力加減を目安に、流れるようにさらりさらりとさわっていきます。皮膚への軽やかなタッチによって、滞っていた水の流れがさらさらと流れていくイメージを持ちましょう。気持ちよさが広がってくると、血液循環がよくなり、リラックス効果も発揮されます。

⑤ 体にはたくさんのつぼがあります

赤ちゃんのつぼは、2歳頃までに大人と同じようなつぼと気の通り道が確立されていくといわれています。赤ちゃんは少しの刺激でも十分に反応するので、つぼという点にこだわらず、つぼ周辺を軽くなでさするなどの刺激でも効果があります。肘から手先、膝から足先にかけては特に重要なつぼが集まっている部分です。指先は、親指と人差し指で挟むようにしてつぼ刺激します。ウォーミングアップとして刺激してもいいでしょう。つぼ刺激することでさらにパワーアップしていきます。

⑥ ベビーマッサージする部位と回数

ベビーマッサージは、基本的に頭、胸、手、お腹、足と、上から下へ行います。ベビーマッサージする部位は、一カ所につき5～10回程度、月齢が大きくなったり体が大きくなってきたら10～20回程度なでていきます。全身で5～10分程度を目安にはじめてみましょう。

つぼ刺激は、指の腹や手のひら全体でつぼ周辺を目安に、くりくりなでなでマッサージを5～20回程度行ってみましょう。また

足底や手のひらにあるつぼ刺激をする場合は、指先で押さえる程度の加減で5秒間の指圧を5～6回繰り返します。繰り返す刺激によって、体が持っているパワーも十分効果を発揮していきます。

❼ 体をまるごとを診るが基本です

気になる部位や、局所に目がいきがちですが、体は全体を診ていくことが大切です。

例えば、呼吸器が弱くよく咳がでるという症状があると、背中だけをマッサージしがちです。背中だけではなく、肩から背中へ、肩から腕へと誘導するつもりで、体全体を通して流すようなイメージで行います。気になる症状が上半身なら手の指先、下半身なら足の指先の刺激もとり入れていくことは欠かせません。基本の全体マッサージを行ってから、気になる症状に合わせてつけ加えるといいでしょう。体全体を診て判断していくことが大切です。

❽ 「気」の流れを整える

赤ちゃんから幼児になりお話できるようになると、「ここなでなでして」と、自分の好きな部位をお母さんに教えてくれるようになります。好きな部位や気になる部位をマッサージした後は、体全体の気の流れを整えるように、頭から足先まで、大きくなでて終わりにします。滞った箇所の流れを良くし、すべての箇所がさらさら流れるようなイメージで全体を整えます。これが、東洋医学でいう「気の流れを通す」というものです。

❾ お母さんがやりやすいように行うのが一番です

ベビーマッサージの方向に気をとられたり、神経質になる必要はありません。お母さんが座った位置とやりやすい手の動き、また赤ちゃんの体の動きなどから、行いやすい方向にマッサージしていきましょう。

幼児には、気の通り道となる経絡の流れに沿ってマッサージをしていくよう指導していますが、医療マッサージではありませんので、方向にこだわらずにお母さんがやりやすい方向でマッサージしても大丈夫です。

10 赤ちゃんが機嫌よくマッサージさせる部位から行いましょう

赤ちゃんが好む部位から行っていきましょう。気持ちよくベビーマッサージを行うためには、機嫌がいいことが大切なポイントです。足のなでなでが特に好きだったり、背中をなでてもらっているのが好きだったり、赤ちゃんによって好きなところはさまざまです。赤ちゃんが好む部位は、多少念入りに行ってみましょう。

また、はいはいや歩くようになったら、赤ちゃんは興味の対象へ突進してしまいます。その時は、やりかけ途中のベビーマッサージでも後回しにしましょう。まだ終わっていないと、追いかけ回すよりも、寝る前や、着替え時の、機嫌のいい時間帯を選んで行うようにしましょう。

11 何事も中庸の道

赤ちゃんの体調を良くしたい、もっと元気になってほしいと思う余り、力が入りすぎたり、時間が長すぎたりすることがあります。すると、赤ちゃんもお母さんも疲れたり飽きたりしてベビーマッサージが続かなくなります。何事も適度が一番です。

マッサージの力の入れ具合

マッサージの力の入れ具合の目安を考える時に、ぜひ参考にしてほしい事があります。それは赤ちゃんの肌着です。生まれたての赤ちゃんに着せる肌着は、ガーゼで作られている場合がほとんどです。産着として使われる肌着は、ガーゼで肌ざわりも柔らかく、その縫い目も赤ちゃんの肌に直接ふれないように、皮膚面ではなく外側に折り込まれています。赤ちゃんの肌は柔らかいので、肌着の縫い目があたるだけでも赤くなったり傷ついたりすることがあるために工夫されているのです。ガーゼの肌着を着せる頃の赤ちゃんには、ガーゼの肌着が肌にふれるのと同じように、そっとやさしく柔らかくふれていきます。

月齢が進み、寝返りができる頃には、同じ綿素材の肌着でも、ガーゼより少し生地の厚い肌着になり、縫い目も肌にふれる内側に入っています。その頃のさわり方は、赤ちゃんの肌にふれる手を、もう少ししっかり添えるように意識してみてください。手を赤ちゃんの肌にそっと置いてすべらせるようなイメージです。

はいはいをする頃には、大人が着る生地と同じ素材でできた服も身につけます。肌着も大人とほぼ同様になります。はいはいが上手になり動きも活発になる頃には、赤ちゃんの肌に手を置き、なでていくような力の入れ具合です。けして強く押したりせずに、沿わせていくくらいの感覚が、気持ちいい肌への刺激圧だと思います。赤ちゃんがじっとして、うれしそうにしている時は、そのマッサージの力の入れ具合がちょうどいいと受け止めてください。

しかし、赤ちゃんの寝つきが悪いのが気になっていてベビーマッサージをしたのに、その日はなおさら寝ぐずりしてしまう時があります。そんな時は少し力を入れすぎた、熱心に時間をかけすぎたなどが原因しているかもしれません。もし思い当る場合は、もう少しそっと、やさしくベビーマッサージしてみましょう。

マシュマロタッチを感じてみよう

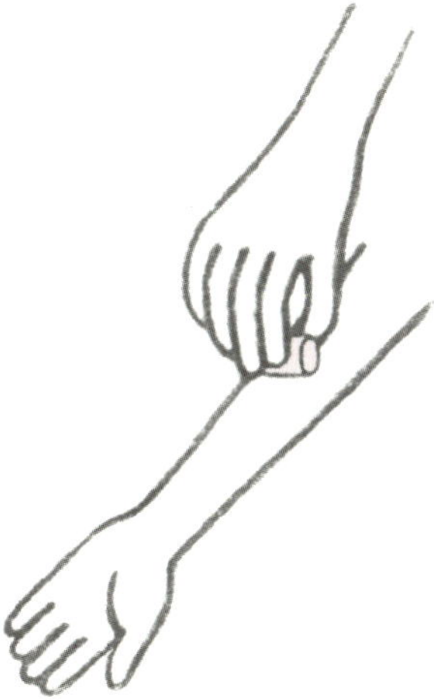

マシュマロタッチと聞くとどんなイメージがわきますか?ふわふわ、あわ～くはかなげなタッチ。。。いろいろなイメージがでてきますが、この際マシュマロを手にとって自分の腕をマシュマロでなでてみましょう。マシュマロタッチは、赤ちゃんにふれるときの力の入れ加減の目安です。くすぐったくなく優しく包まれているような気持ちになるマシュマロタッチをまずは自分の腕に感じてみましょう。

アドバイス

寝返り前の赤ちゃんのさわり方3つのポイント

① **0ヶ月の赤ちゃんは、マシュマロタッチよりさらにソフトな羽根になったつもりで**

② **肌のやわらかい赤ちゃんにはそっとやさしくマシュマロタッチ**

③ **寝返り前の赤ちゃんの肌にふれる手は、そっとすべらせるように**

月齢が進んで、赤ちゃんの肌が強くなってきたら、しっかり手を添えるようにつけて、手を置くような力加減でふれていき、さわった感覚を大事にします。少し水っぽいと感じる部分、他の部分より柔らかすぎて、ぷよぷよしているような印象を受ける部分、ぶわんとゆるんでいるように見える部分には、他の部分より10～20回程度、多めにマッサージしてみましょう。ベビーマッサージしている間に、水っぽいと感じていた部分が、さらさらしてきたり、ぷよぷよ感が変化したと感じたら、その部分へのマッサージは終了です。

このように大まかな目安がありますが、行っているうちに慣れてきますので、さらりさらり、そろりそろりと、お母さんが気に入ったかけ声をかけながらベビーマッサージをしてみましょう。

お母さんのウォーミングアップ

ベビーマッサージをする前に、次のチェックを行いましょう。

① 爪は短く切ってありますか？

赤ちゃんの皮膚はとってもデリケートです。皮膚を傷つけるとそこから炎症がおこることがあるので、爪は切っておきましょう。

② お母さんの手は柔らかくなっていますか？

お母さんは、ふだんから水仕事も多いうえに、赤ちゃんが産まれてから洗濯、オムツ替え、掃除と仕事量も増えます。赤ちゃんは「いつもそばにいて」と泣いて呼ぶので、自分の手をゆっくり手入れする時間もないほどです。手がかさかさだったり、ひび切れしやすいので、念入りに保湿剤やクリームを塗ってふだんからお手入れをしておきましょう。手があれやすい人は、洗い物や洗濯物をたたむときには、手袋を使うと手あれを防ぐことができます。

③ マッサージの手は温かい手で

温かい手が気持ちいいの秘訣です。ベビーマッサージをはじめる前に、両手をこすり合わせ、手に自分の気持ちをこめて温かくしていきます。気持ちをこめてさわると、さらにお母さんの手から元気のパワーがでて、それを受けて赤ちゃんの元気もパワーアップします。

④ 気持ちはこめても力は抜いて

「さあ始めるぞ」と気持ちをこめてベビーマッサージを行おうとすると、ついつい力も入ってしまいがちです。力を入れすぎず、自分がリラックスすることが大切です。

ウォーミングアップ体操

ベビーマッサージは、赤ちゃんだけでなく、お母さんにもリラックス効果をもたらします。イライラしていたり、気持ちがあせっていたら、手の感覚も鈍ります。まずお母さんがウォーミングアップ体操をして、気持ちをリラックスさせることが必要です。特に、肩こりがあると力が入りすぎる傾向にあるので、ウォーミングアップ体操をとり入れていきましょう。

①背筋を伸ばします。

②両手の指を組んで、その手を頭の上まで引き上げます。下げると同時に、大きく腕を広げることを3回くり返しましょう。

③肩の力を抜くために、肩をおもいっきり引き上げて、ストンと落とす。これも2～3回くり返します。

④首もゆっくりまわしましょう。ぐるぐるぐる。反対にぐるぐるぐる。大きく深呼吸をくり返します。

⑤次に指先をグー、パー、グー、パー

⑥手首をぶらぶらぶら

これで指先まで感覚が行き渡ってきます。指先1本1本もなでていき、両手をこすり合わせます。こすり合わせる手にも気持ちをこめて、温かくしていきましょう。

ベビーマッサージにおける注意点

次のようなな症状がみられるときは、ベビーマッサージは行わないようにしてください。いつもと様子が違うと感じた時は、すぐにお医者さんに診てもらいましょう。

こんな時には行わない

- お母さんも赤ちゃんも、皮膚の感染症がある時
- 赤ちゃんがお腹いっぱいの時、お腹が空いている時
- 赤ちゃんが疲れている時や、お母さん自身も疲れている時
- 面倒だと感じたり気持ちがのらない時
- 38度以上の高熱がある時
- 熱っぽくてぐったりしている時
- 出血性の病気
- 炎症症状がある時（骨折や捻挫の直後など）
- 急性伝染病や中毒症が起きている症状がある時

こんなときにはすぐにお医者さんへ

- 急な高熱
- 発疹がでた時
- けいれんやひきつけを起こしている時
- 激しい咳がでて止まらない時
- 呼吸がぜいぜいしていて苦しそうな時
- 意識が薄れてぐったりした時
- 顔色が青色など、血の気が引いたような時
- いつもの泣き方とは違って、身をよじって泣く時

コラム

世界中で行われているベビーマッサージ

現在、世界中のさまざまな国でベビーマッサージは行われています。アメリカでは近年になってベビーマッサージの研究が進み、研究者たちが個々に確立した○○式ベビーマッサージという名称で広がりつつあります。ロシアでも、ベビーマッサージが医学的にも高く評価され、赤ちゃんのいる家庭で一般的によく行われてるといわれています。

しかし、ベビーマッサージは近年確立されたものではなく、国によっては伝統的に行われ、近年その効用が医学的に実証されて、普及したものなのです。日本でも「小児養生按摩」と呼ばれる赤ちゃんのマッサージ法があり、江戸時代の頃までは一般的に行われていたようですが、西洋医学の普及とともに衰退していきました。

古い歴史を持つ中国では、小児推拿という赤ちゃんや幼児に行うマッサージの手法が病院内で治療として利用され、研究もさかんに行われています。本書で紹介しているベビーマッサージに類似する手法でもあります。

ウガンダ、ナイジェリア、インド、ベネズエラ、バリ、ニューギニア、フィジーなどでは、ベビーマッサージは育児において欠かせないものとされ、次世代へと受け継がれてきました。ココナッツオイルなどを使い、お母さんたちはやさしくマッサージをします。お母さんの手から赤ちゃんへのやさしい刺激が、心と体の発育につながっているといえるでしょう。

ベビーマッサージがさかんに行われてきた主な国

※このほかにも北米・南米のインディアンやニュージーランドの少数民族などの間でも、ベビーマッサージは伝統的に行われてきました。

基本マッサージ　赤ちゃん編　対象 0ヶ月から1歳頃まで

　赤ちゃんはお腹が空いたなど特別な場合をのぞき、5分から10分程度はじっとしていられます。楽しみにベビーマッサージを待っています。体のすみずみまでよく反応を診ることは親にとっても必要なことの一つです。扱いに慣れることも大切です。なるべくならしっかり時間を設けて、全身をマッサージしてみることをおすすめします。

あおむけ

ワンポイントアドバイス

0ヶ月の赤ちゃんには、頭部、頸部への刺激は行いません。そっと頭を包みこむようにして声かけするだけで十分です。

1 耳にそっと手をあてて
目と目をあわせて声かけから

2 頭をなでなで

3 頭をかさかさ

4 顔は中心から
そっとなでなで

5 頭全体を包むようにして
首筋のうしろまでなでる

6 首から胸にかけてなでる

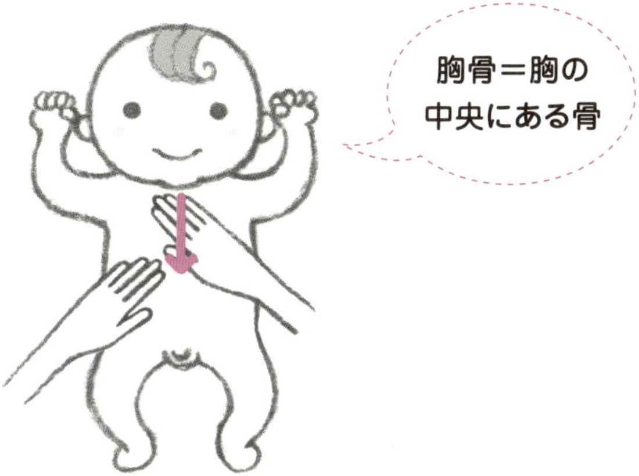

7 胸骨にそってなでる

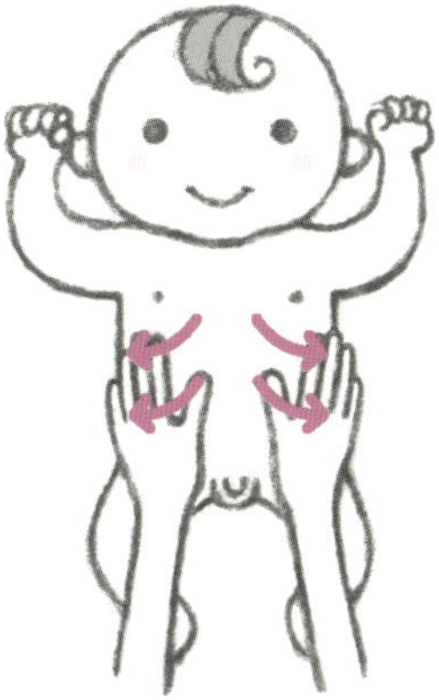

8 胸は中心から両側へ
肋骨にそってお腹までなでる

ワンポイントアドバイス

お腹は守らなくてはいけない臓器がたくさんあるので、さわられると緊張しやすいものです。弱い刺激、短時間で十分ですが、嫌がるようなら無理にさわらないにしましょう。

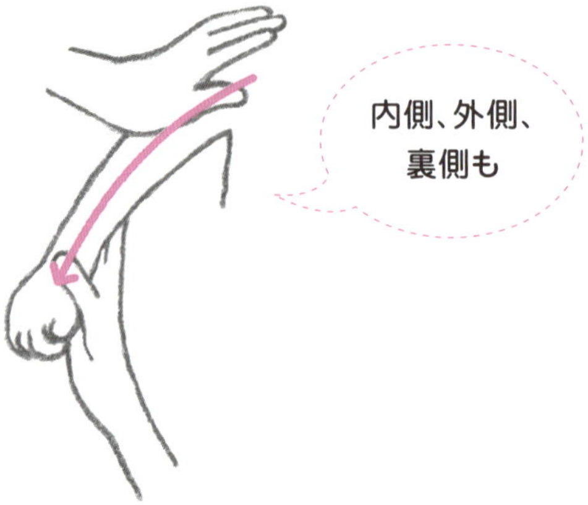

9 腕は肩から手首までなでなで

10 手のひらと手の甲、手の指もなでなで

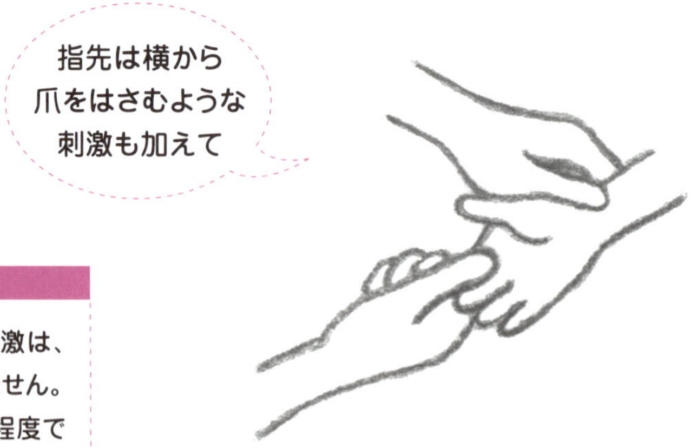

11 指はつけ根から先へ
1本ずつなで押さえる

ワンポイントアドバイス

手のひら、手の甲、手足の指への刺激は、時間の余裕のある時に行っても構いません。手足の指先刺激は、そっと押さえる程度です。0ヶ月の赤ちゃんは、手のひらや指先への刺激は特に必要ありません。手のひら、足の甲、足裏のなでさすりで十分です。

お腹のマッサージの
時も、もう片方の手は
体にふれて

12 お腹は円を描くようになでなで

13 側腹部も上から下へなでなで

鼠径部＝足
のつけ根

内側も
外側も

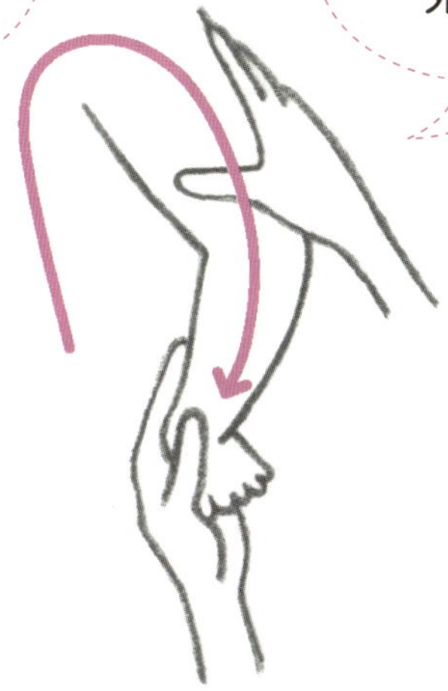

14 鼠径部《そけいぶ》も上から下へ
なでなで

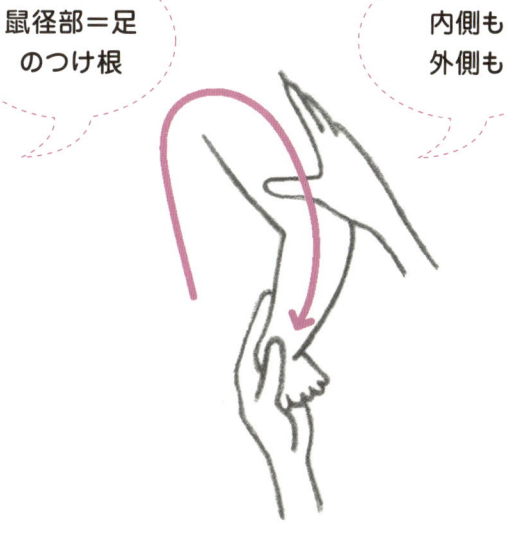

15 足は足首から太ももへ、
太ももから足首をなでなで

16 指先は爪をはさんで軽く
刺激する

うつぶせ

1 首から肩にかけてなでる

2 肩から肩甲骨をなでなで

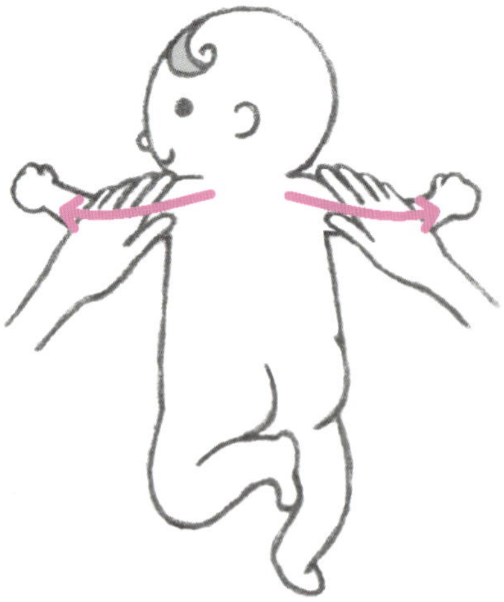

3 肩から腕にかけてなでる

ワンポイントアドバイス

背骨の上は直接刺激しません。背骨の両側をなでさすりします。0ヶ月の赤ちゃんは肩甲骨の間から背中あたりのなでさすりで十分です。

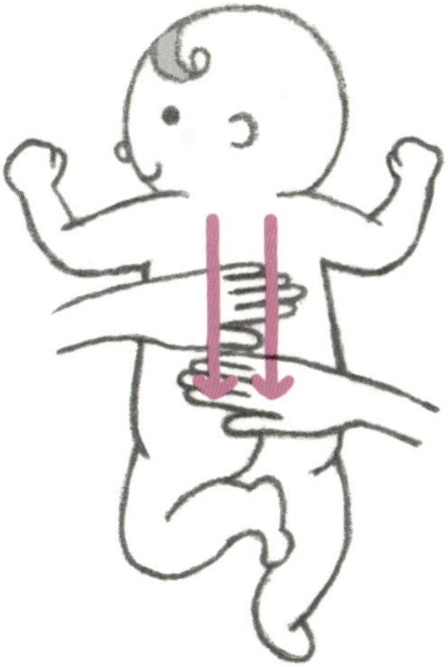

❹ 背中からお尻までなでる

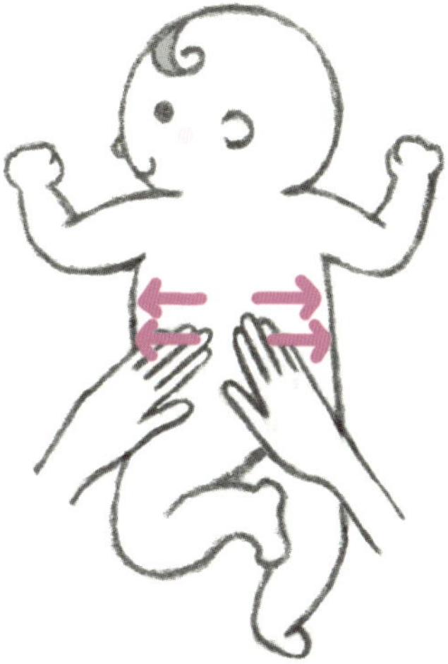

❺ 腰のウエストラインあたりをなでる

❻ お尻のほっぺをくりくりなでる

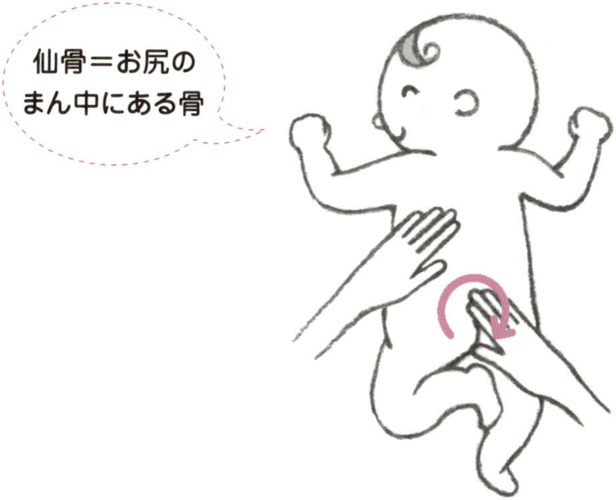

❼ 仙骨あたりをくりくりなでる

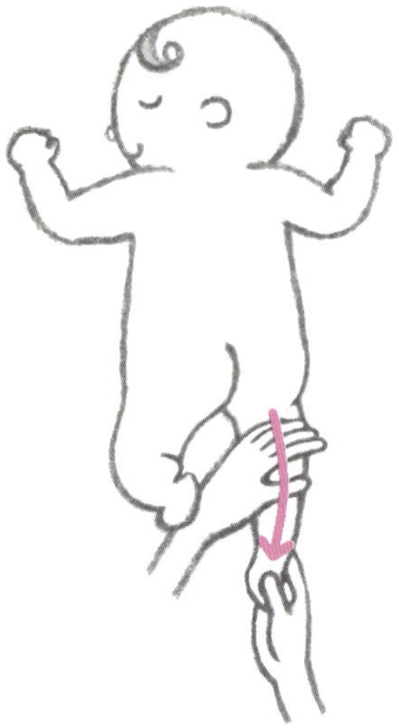

8 お尻から足の先までなでなで

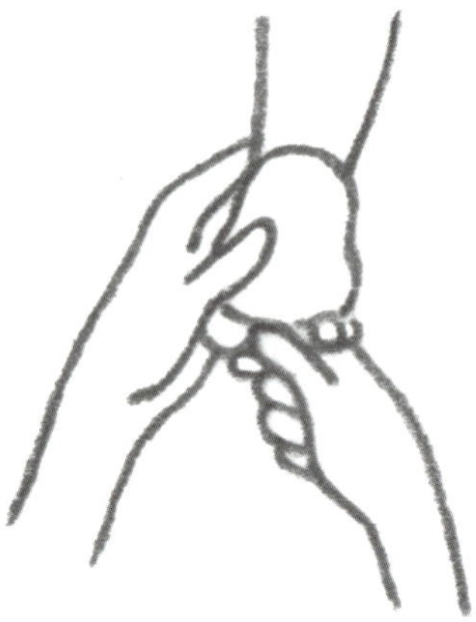

9 足の指先を1本ずつなでなで

10 足底のつぼ周辺をなでる

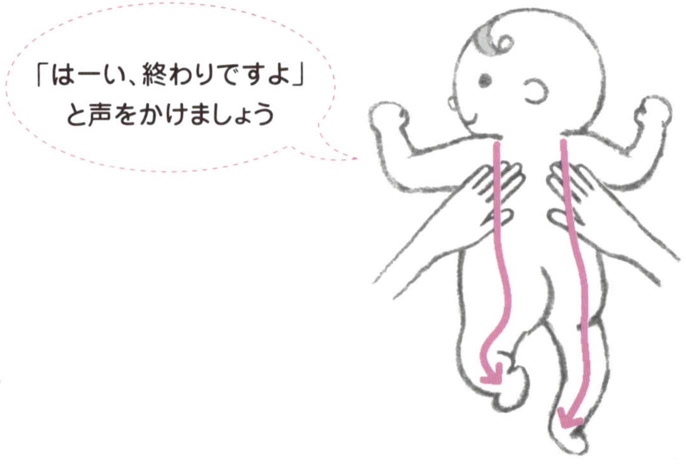

11 背中から足まで上から下へ3回なでて終わり

基本マッサージ　幼児編　対象 1歳頃から6歳頃まで

赤ちゃんは動きはじめるともうじっとしていません。短時間に、より効果が現れやすいと考えられる部位をマッサージすることが必要です。手で操作しやすい場所を効果的にマッサージすることがポイントになります。

また、マッサージをゆっくり行うほど幼児はじっとしていない場合が多いので、特に反応がでやすく、気持ちいいと感じる部位を重点にします。背中や膝から下、腕から手にかけてを刺激することで十分です。

特に、腹部は防御の気持ちも強くなるのでゆっくりさわらせることは少なくなりがちです。腹部マッサージを好む場合は、またゆっくり取り入れていきましょう。

あおむけ

頭

● 「さあ、はじめますよ」の声かけから

● あたまをかさかさ

ポイント

動きはじめたら、行いやすい部分からはじめましょう。

頭から首筋

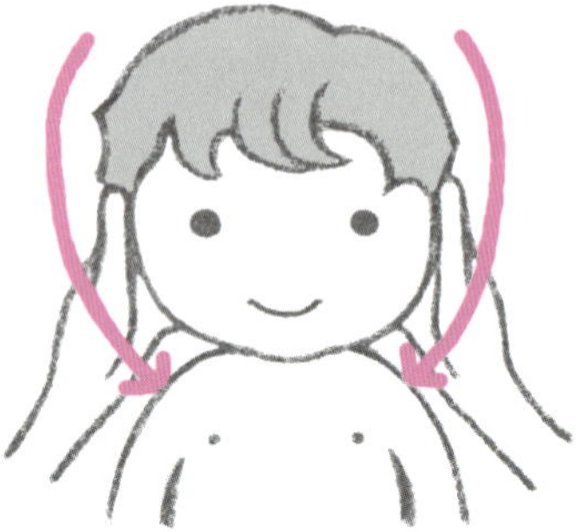

● 頭から首筋へ、首筋から
胸元にかけてなでる

肩から腕

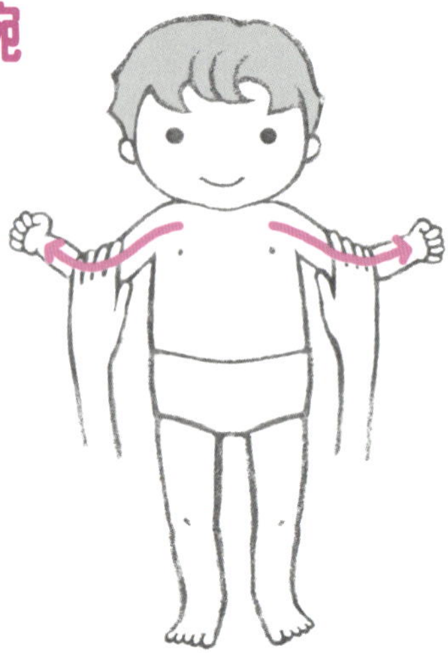

● 胸を広げるように

胸

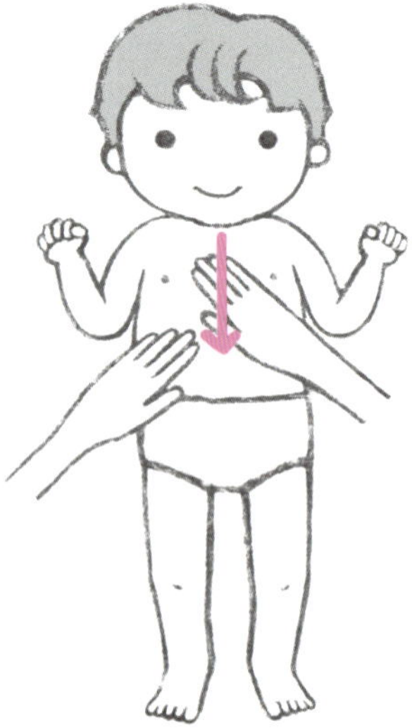

● 胸骨にそって

● 胸部から腹部へかけて
肋骨にそうようになでる

お腹

ワンポイントアドバイス

大きくなるとお腹を嫌がる子もいます。嫌がったら無理に行うのはやめましょう。

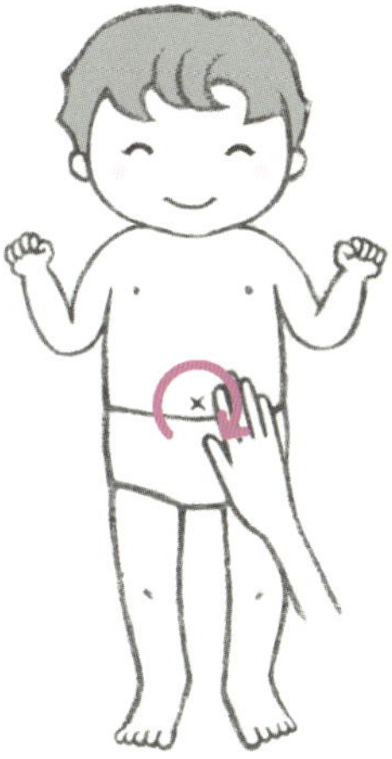

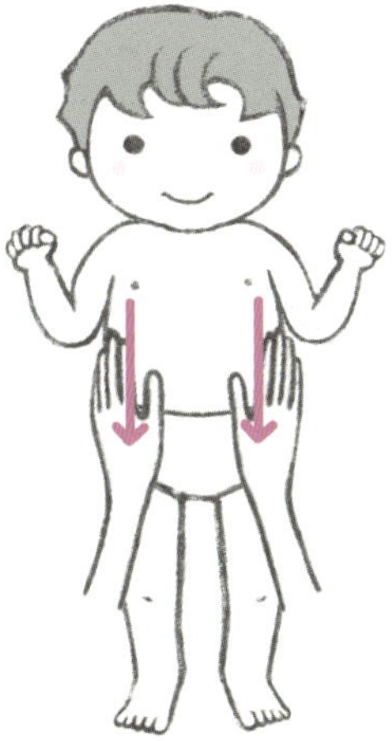

- おへそのまわりをなでなで
- 側腹部から鼠径《そけい》部までもなでなで

足

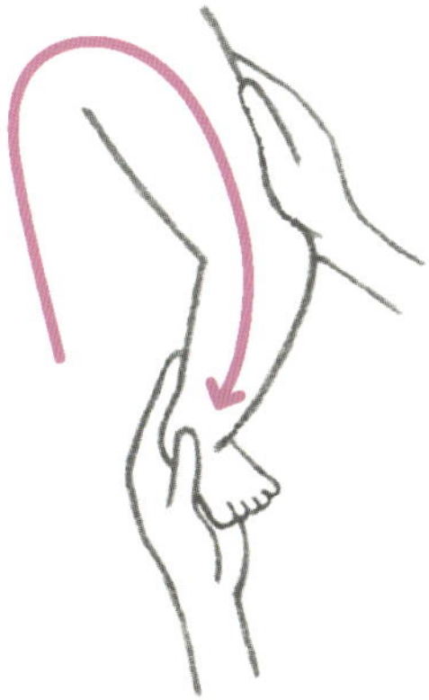

- 足首を抑えて足の内側から大腿部の内側までマッサージし、そのまま手を大腿部の外側からすねまでおろしてくる
- 足の甲、指先をなでる

うつぶせ

頭から首

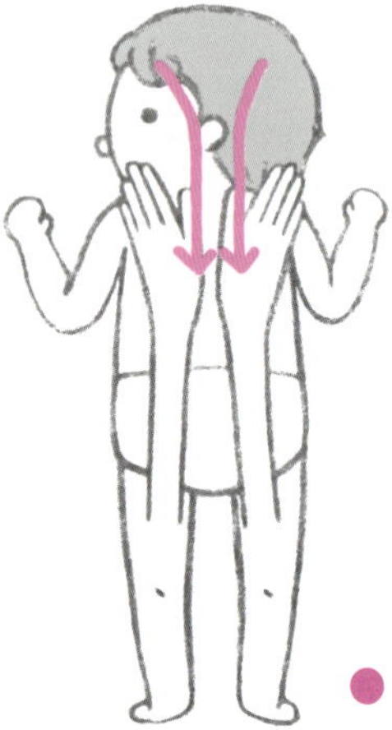

● 頭から首筋にかけてなでる

肩から腕

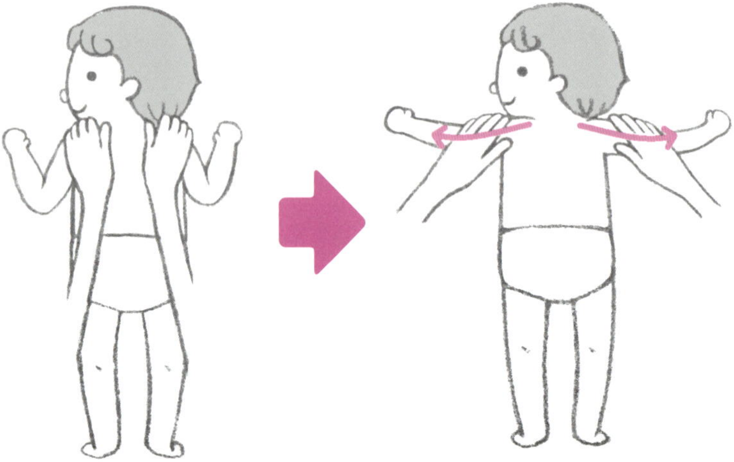

● 肩に手をおき、肩から腕にかけてさする

腕から手

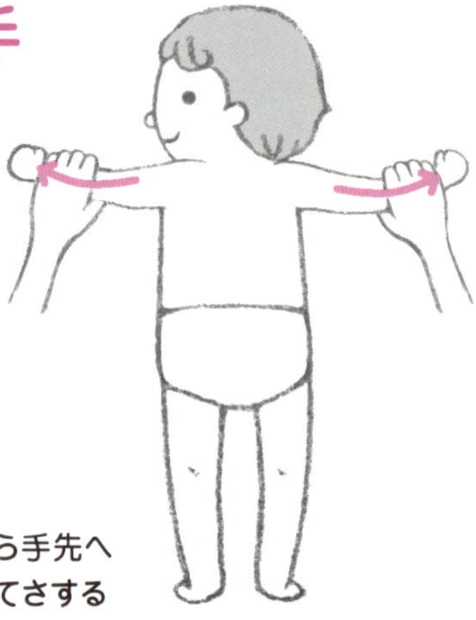

● 腕から手先へかけてさする

● 指先一本一本をなでる

背中からお尻

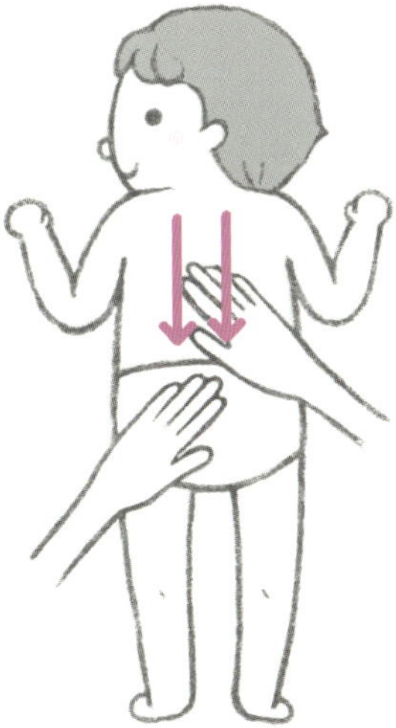

● 背骨の両側にそって
マッサージ

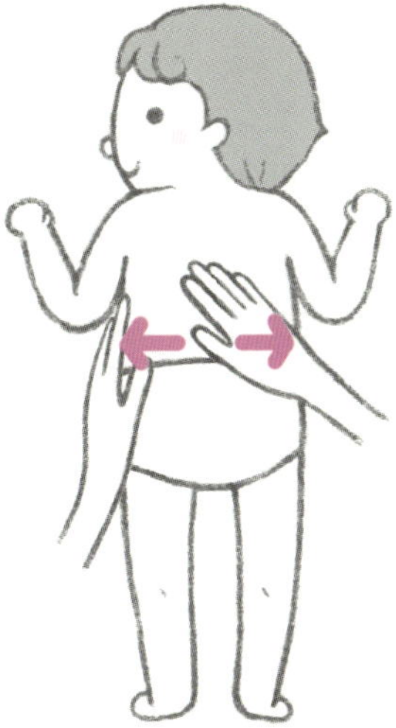

● 腰全体をなでなで

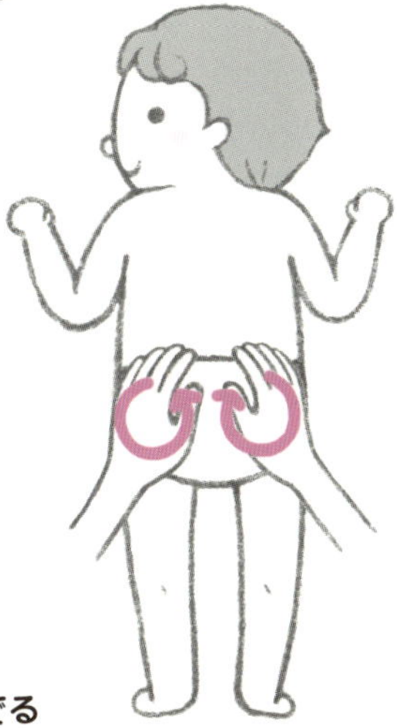

● お尻のほっぺをなでる

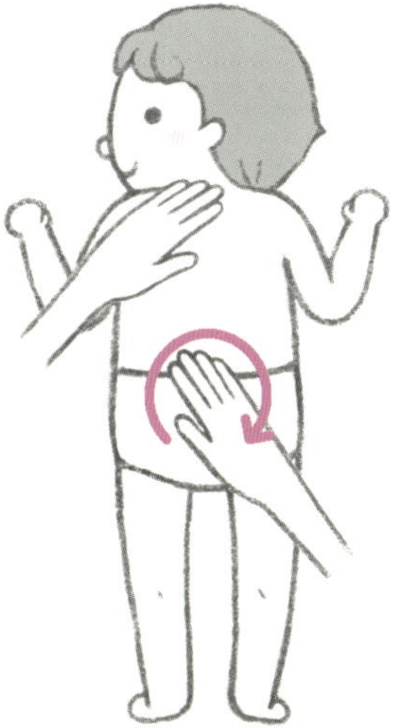

● 仙骨にそってなでる

足

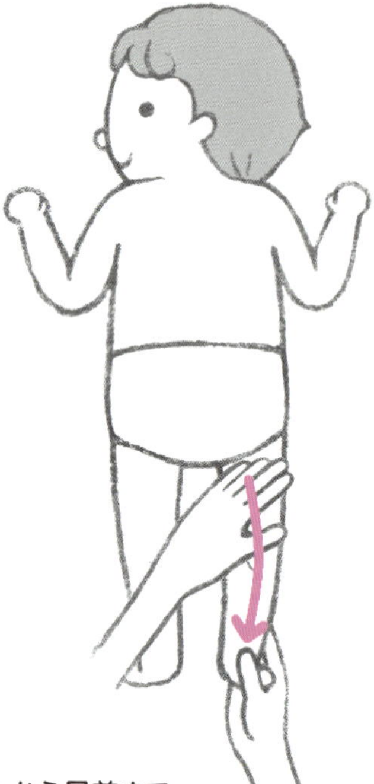

● 太ももから足首まで

● 足底部を指圧

ワンポイントアドバイス

手足の指先にはつぼがたくさんあり、いろいろな効果を発揮します。なでるだけでなく、指の爪を両脇からはさんで押しましょう。

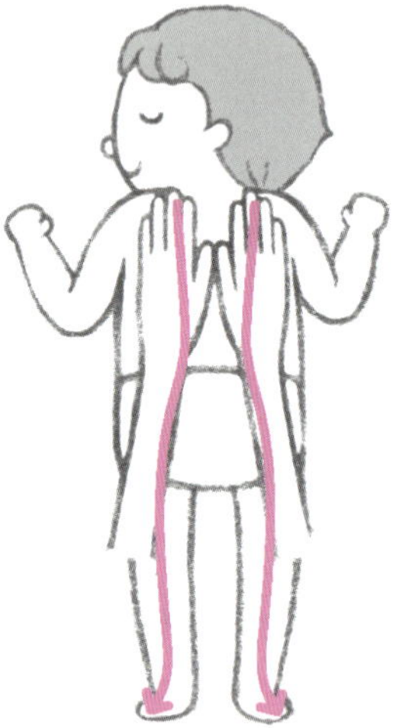

● 肩から足首まで通しでなでること
3回で終わりの合図

終わりのサイン

マッサージが終わったら、上から下まで軽くなでて終わりのサインをしましょう。

終わった後は水分補給を忘れずに。

気持ちよくなって眠ってしまった場合は、そのまま寝かせてあげましょう。

第3章

症状別マッサージ

症状別マッサージ

ベビーマッサージ教室に参加されたお母さんたちの、気になっている症状の第1位は湿疹でした。お母さんの心配事はたくさんあります。その上、吐いた、便秘だと気になる症状はその都度でてきます。症状によっては、病気のサインから急を要する症状までありますが、ベビーマッサージを行うことで、見極める勘を養うことにも通じます。そして、気になる症状にも改善がみられたなら、どんなに心の支えになるでしょう。

今回とりあげた症状別は、程度の差があっても、ベビーマッサージを継続することで改善され、病気予防に役立つものを紹介しています。基本マッサージにつけ加えても、また基本マッサージを行いながら、気になる部分を少し多めにマッサージするのもいいでしょう。その部分だけに囚らわれずに全体を診て、感じて行うことが大切です。

マッサージゾーンとつぼの位置について

本書の第3章に掲載している「効果的なマッサージゾーンとつぼ」は、色のついているゾーンをマッサージすると各症状に効果的です。色はつぼの位置を表しています。

注意事項

赤ちゃんはつぼが未発達で位置がわかりにくいため、つぼの位置を目安にその周囲をマッサージしてあげてください。また、つぼの位置ばかりに集中せず、全体を診ながらマッサージしていくことを忘れずに！

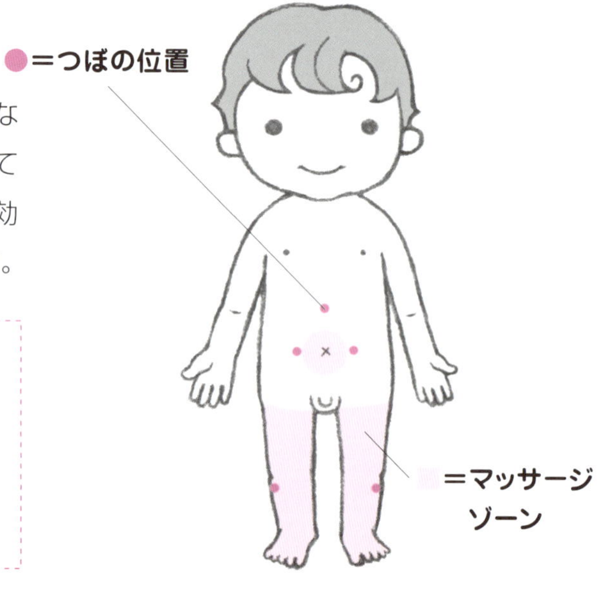

皮膚のトラブル～湿疹・あせも・アトピー性皮膚炎

発疹には、皮膚病によるものと、感染症によるものがあります。熱が伴う場合は感染症からの発疹が疑われますので、機嫌の善し悪し、全身症状、発疹の出方や色、形を観察して病院を受診しましょう。

皮膚病としては、乳児湿疹、脂漏性湿疹、アトピー性皮膚炎なども湿疹ができ、区別するのが困難です。子どもの体質が関係しておこるものもあります。赤ちゃんの皮膚は弱く、湿疹ができやすいうえにかぶれやすいので、いずれの場合もスキンケアは欠かせません。かぶれるとかゆがり、掻き壊しやすいので、アレルゲンなどの原因対策も行う必要があります。親にアレルギー疾患（花粉症もそのひとつ）があると子どもも体質的に似ていますが、体調を整え、免疫機能が活発になるように、あせらず続けていきましょう。

①かぶれ

赤ちゃんのほっぺは、よだれがついたりいろいろなものをなめたりするので、皮膚がこすれてかぶれてしまいます。ある部分に限定してできた場合はかぶれと考え、外からの刺激によってできる湿疹の仲間です。ぬるま湯を使って、1日1回は石けんでよごれを落とし、十分すすぎ、拭いた後、保湿と潤いを心がけましょう。保湿剤の使用は、1日10回程度必要です。

かぶれは薄くて柔らかい皮膚に刺激が多すぎた場合におこります。おしっこ、うんち、おむつの洗剤や、おむつ製品の薬品がこすれ、皮膚を刺激していきます。長い時間が経つと、真っ赤に腫れてしまうこともあります。

②あせも

赤ちゃんは汗っかきです。寝ている時にはたくさん汗をかきますが、汗をかいたら体は拭いて、パジャマを替えてあげましょう。布団も天気のいい時には干しましょう。布団の上にバスタオルをひいておくと、汗をかいた時の交換に便利です。汗腺は2歳までに活発に活動させることが大切です。エアコンで冷やし過ぎたり、扇風機の風が直接肌にかかるような状態では、汗腺の働きを止めてしまいます。汗をかいたらシャワーや沐浴で流しましょう。入浴回数は過度になりすぎないように。

あせもは、汗管内に汗がたまってしまうことが原因です。また、汗を出す能力が未熟なことからあせもになります。炎症がおこって赤くなったものはかゆみがあります。予防が大事なので洗い流しましょう。

③アトピー性皮膚炎

かゆみや炎症を抑える働きがある副腎皮質ホルモンの産生は、明け方から朝にかけて最も高まり、産生活動は、その時間帯までに確保していた睡眠量に比例して活性化するといわれています。早寝早起きのリズムを作り、睡眠時間はしっかり確保すること。

アトピー性皮膚炎は、アレルギーが深く関わっているといわれているので、アレルゲンを遠ざけることが大切です。皮膚は皮膚呼吸をしています。暑い時には汗がでて寒いときには体温の放散を防ぐように、皮膚の機能を活発にすることも必要です。

チェックポイント

- おむつやよだれかけの交換はまめにしていますか?

こんな時は要注意!!

- かゆみや痛みがある場合
- 掻き壊して汁がでている場合

アドバイス

- お尻を清潔に保つよう、まめにおむつ交換する
- お尻をぬれタオルや濡れテッシュでこすりすぎない
- 1日1回は石けんを使って洗い、すすぎは十分に行う
- お尻を乾かしてからおむつをつける
- 下半身の保温
- 勝手な判断で除去食を行わない
- 温めすぎるとかゆみは増すので暖房のかけすぎは禁物
- 掻き壊さないように爪はまめに切る
- 夏でも綿のTシャツ型の肌着を着せる
- しわの部分は、あせもになりやすいので、よく拭き、よく洗う

効果的なマッサージゾーンとつぼ

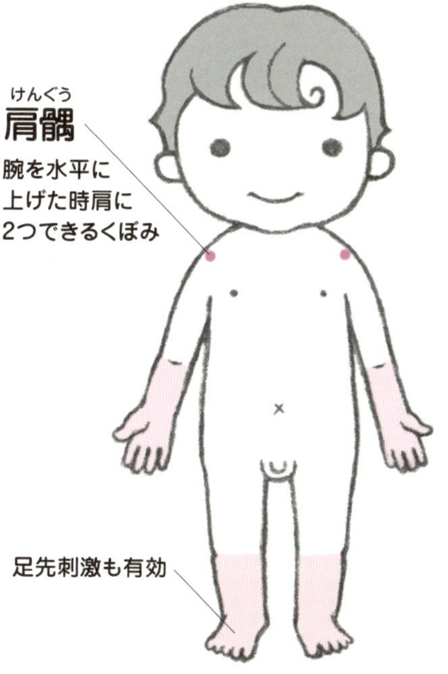

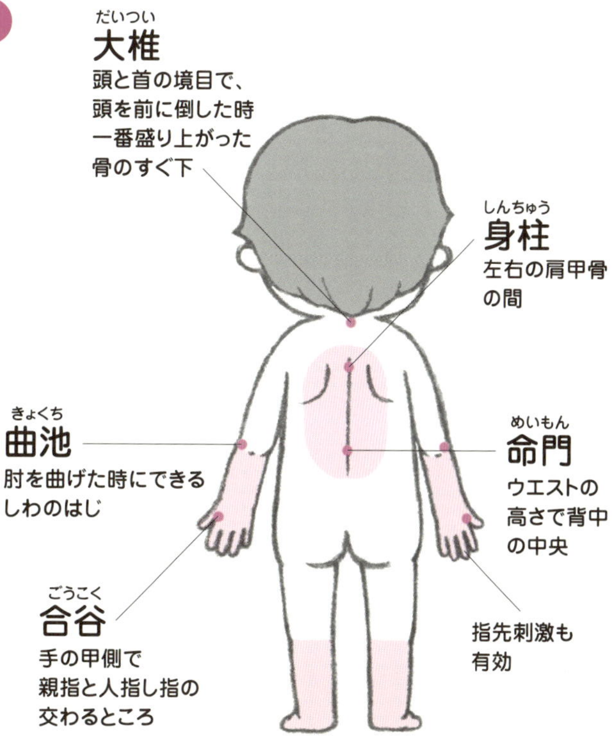

冷え

お母さんが冷え症だと、子どもの手足の冷たいことが気になるものです。汗をかきやすい手足は冷たく感じやすいものですが、冷たかったらお母さんの手で包んで温めてあげましょう。

しかし、冷えは体調不良のサイン、積極的に改善していく必要があります。運動不足、低体温、自律神経機能の低下、貧血や低血圧などが原因ともいわれています。早寝早起きの習慣をつけ、しっかり朝食をとって外で遊ばせるようにすると、体力もつき、冷えも改善していきます。

まだ積極的に運動ができない時期の赤ちゃんには、マッサージをすると効果があります。お風呂に入り汗をかくことも、冷えの改善につながります。シャワーですませず親子でお風呂に入り、入浴後の水分補給を忘れずに。おっぱいを飲んでいる赤ちゃんには、おっぱいを好きなだけ与えましょう。

チェックポイント

- 冷たい飲み物を多くとっていませんか?
- 早寝早起きをしていますか?

アドバイス

- 早寝早起きで日頃から生活リズムを整える
- 冷たい飲み物を控える
- 生野菜よりも温野菜を多用する
- 運動も取り入れる（幼児は屋外で走り回る）
- 寝返りをはじめたら、上下別々の服を着せる
- 肌着を着用し、頭寒足熱を心がける
- 湿った靴下は交換して冷えを防ぐ

こんな時は要注意!!

- 一旦冷えてしまうと温めても
  なかなか冷えが改善しない場合
- 手足の皮膚の色が紫色になっている時

効果的な体操

- つま先あげ、かかとあげを繰り返す
- おじぎ体操
  （膝を曲げずにおじぎをして膝裏をのばす）
- 手をグーパー、グーパー
- 横になって両手両足を上に持ち上げて
  手足ブラブラ体操

効果的なマッサージゾーンとつぼ

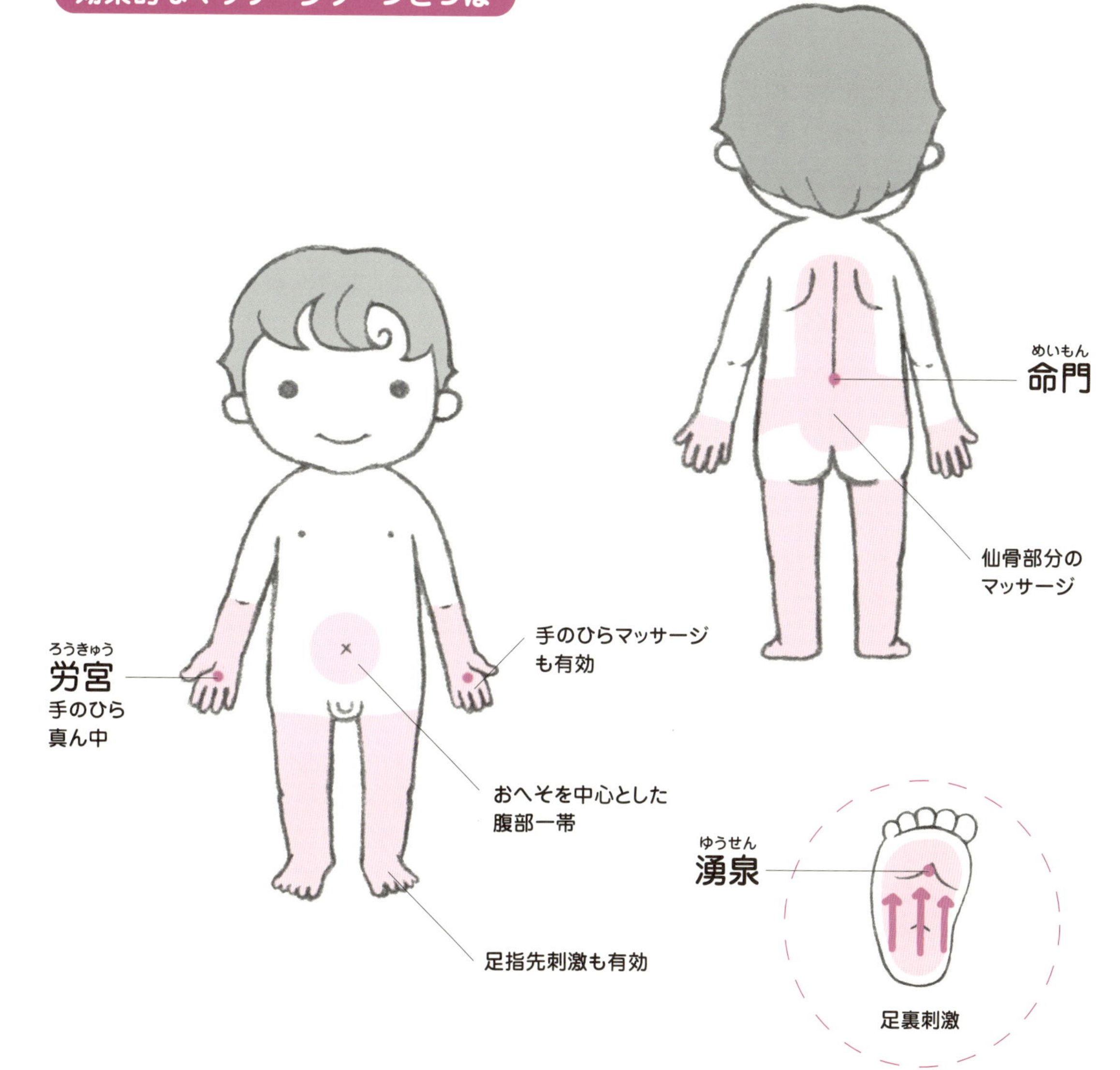

便秘

　便秘は、水分不足で硬い便ができ、お腹が苦しくなったり、腹痛が起きたり、排便時に肛門が痛い場合をいいます。腸の働きがなんらかの原因により低下したため起こります。

　まず第一の原因は水分の不足です。腸に長い間便を溜めておくと水分が吸収され硬くなってしまいます。また腹圧不足で押し出せなかったり、直腸壁の感受性低下により排便反射が低下していたり、心因性によるもの、消化管機能低下などが関連して便秘になります。肛門が痛むので排便を我慢する、という便秘の悪循環も起こります。

　そのほか、食事リズムが不規則であったり、偏食、睡眠不足、月齢に比べて離乳食を食べる量が少なすぎる場合も、便秘の原因となる場合があります。

チェックポイント

- 水分はとっていますか?
- 睡眠不足ではありませんか?

アドバイス

- 水分を十分にとる
- 規則正しい生活をし、朝食はしっかり食べる
- 繊維分の多い食物をとって腸の運動を活発にする（ほうれんそう、にんじん、さつまいも、ごぼうなど）
- 便をゆるめる食品（油分、脂肪分などを与える）や果汁などで腸の蠕動（ぜんどう＝腸の内容物を送る）を亢進しおだやかな排便を促す
- 幼児の場合、食事後に3分程度オマルに座らせるようにし排便習慣をつける
- こよりで肛門部をこちょこちょ、あるいはまたは綿棒浣腸（綿棒にオイルを浸しおしりから2cm位入れたところで軽く回す）をする
- 集団生活をはじめている子には、時間的にも気持ちにも余裕がもてるよう接する
- 薬を指示されたとおりの量で使う

こんな時は要注意!!

- 便が出ないことにより、食欲不振、お腹が痛そう
- うんちが出る時に痛そうにしている場合

効果的な体操

- 子どもの両足首を持って
膝の曲げのばし5～10回

- 子どもの両足首を押さえて、
櫓《ろ》を漕ぐように5～10回ゆらす

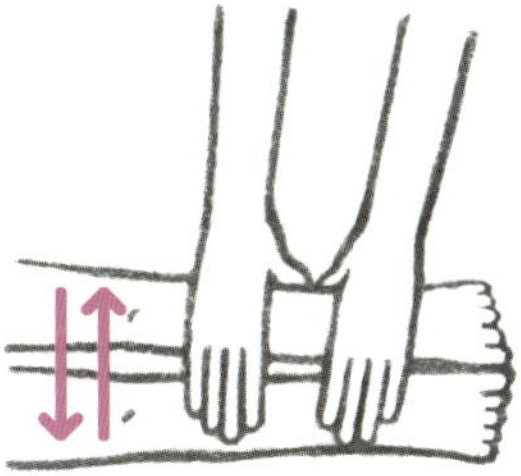

効果的なマッサージゾーンとつぼ

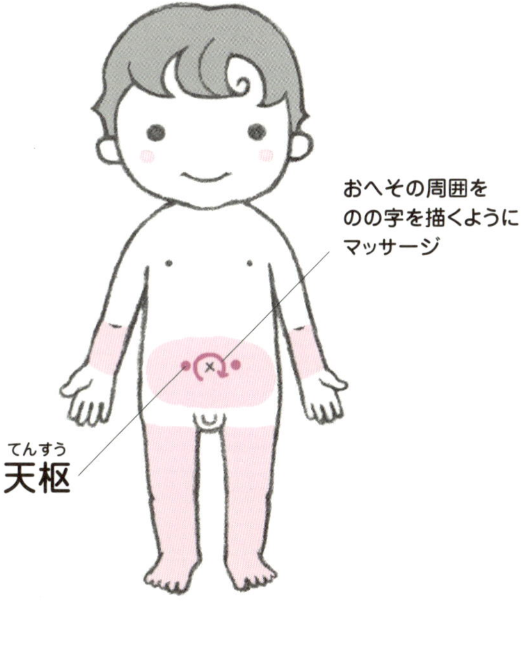

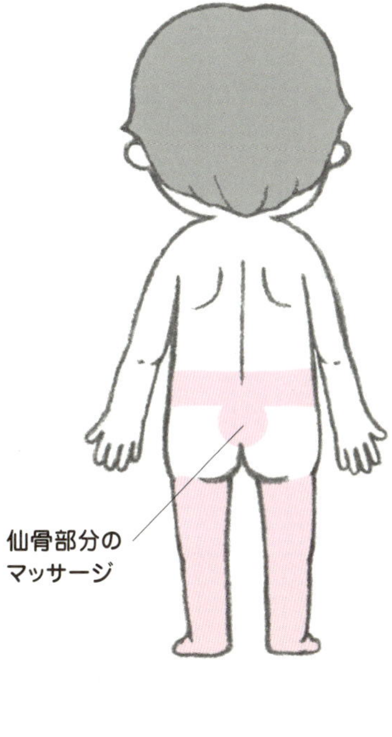

下痢（お腹の調子を整える）

母乳を飲んでいる赤ちゃんとミルクを飲んでいる赤ちゃんのうんちは違います。母乳の赤ちゃんは便がゆるく、何度もうんちがでる傾向にあり、時には水っぽく下痢のような印象を受ける時があります。ミルクの赤ちゃんは少しかためのことが多いようです。うんちが下痢がどうかの判断は難しく、食欲や飲み方に変化がなく、機嫌もよく元気な場合は心配いりません。おっぱいは頻回授乳をし、そのほかは水分補給を忘れずに。子どもは、精神的なことから下痢になる場合もありますので、便の回数に神経質にならないように接していきましょう。

チェックポイント

- 便は、酸っぱい臭いや嫌な臭いですか？（消化不良など）
- 調乳の仕方に問題はないですか？
- おっぱいやミルクを飲む力が弱くないですか？
- 不機嫌や体重減少はありませんか？
- 食べ過ぎてはいませんか？
- 消化されないものも多く、慢性下痢ですか？
- 風邪のような症状はありませんでしたか？

アドバイス

- おしっこの回数や量を観察しながら、水分補給を忘れずに
- においがある便でも、食欲があれば消化のいいものを控えめに与える
- 寒さや冷えに注意する
- 食べ過ぎた後の下痢は、下痢する前に泣くが下痢後には痛みがおさまる場合が多い
- おむつはまめに取り替えてその度にお尻をぬるま湯で洗っておむつかぶれを防ぐ
- 慢性的な下痢はお医者さんと相談し、水分補給や薬、食事の注意事項を守る
- 冷たいもの、乳製品、脂肪の多いもの、繊維の多いものは避ける

こんな時は要注意!!すぐ病院へ

- 大量の水様便、白色の下痢便、血液が混じっている便のとき
- 水のような便が頻繁に繰り返したり、頻繁な嘔吐、唇が渇いていたり、尿量の減少

食事のアドバイス

赤ちゃんは？

- 母乳はほしがるだけ、ミルクはちょっとずつ頻回に
- 離乳食ならりんごのすりおろし

幼児は？

- りんごのすりおろし
- みそ汁
- 野菜スープ

効果的なマッサージゾーンとつぼ

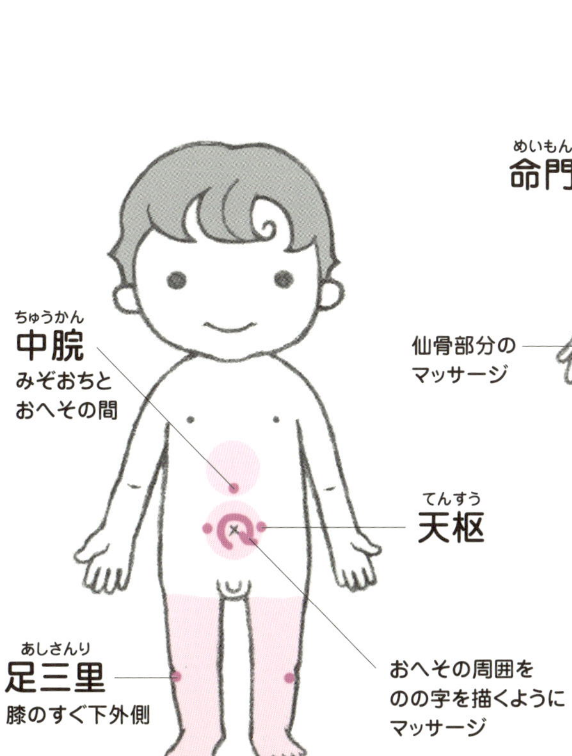

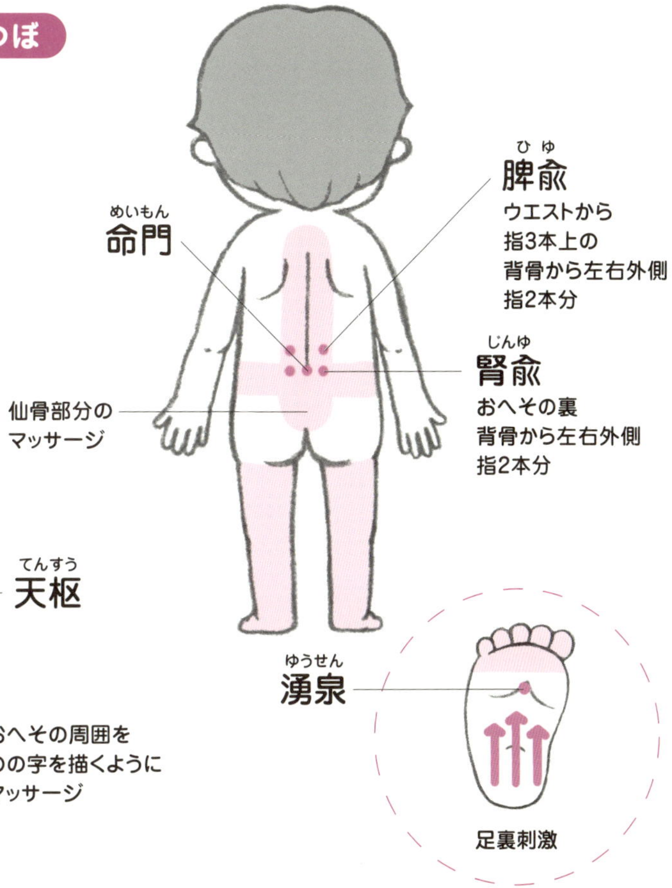

風邪

風邪をひいてしまった時は、安静と保温が基本です。部屋を暖めて、保温と水分補給を心がけましょう。

風邪をひいた時には、下半身保温が大切です。オムツとつなぎ服だけで、鼻水を垂らしてフローリングの部屋をはいはいしていたら、風邪はなかなか治りません。肌着を着せ、寝返りができるようになったら、つなぎ服ではなく、上下別々にズボンをはかせ服を着せます。お腹の部分が冷えないように保温しましょう。洋服から手首や足首がでているとゾクゾクしやすいので、冷気が手首や足首にあたらないように長袖、長ズボンを着せるようにします。

チェックポイント

- 肌着を着せていますか?
- 靴下は?

アドバイス

- 水分補給は赤ちゃんならおっぱいで、幼児なら白湯か番茶で
- 消化のよい食事を
- 足もとが冷えていると風邪症状は長引くので、足もとを温かく
- 機嫌がよく、食欲・哺乳力も良好な時には、3〜4日で自然軽快

こんな時は要注意!!

- 元気がない、食欲・哺乳力低下
- 3日以上の発熱
- 咳が多い
- 嘔吐する
- 鼻汁が臭い時
- 鼻汁に膿や血が混じっている時

慢性的に鼻がつまっているような場合

一般的に鼻がつまるのは、鼻粘膜が腫れていたり、鼻汁がたまったりしている時です。いつもつまっているのは、慢性鼻炎やアレルギー性鼻炎ということも考えられます。鼻づまりで口呼吸をしていると喉まで炎症を起こしやすいので、マッサージで解消してあげましょう。

効果的なマッサージゾーンとつぼ

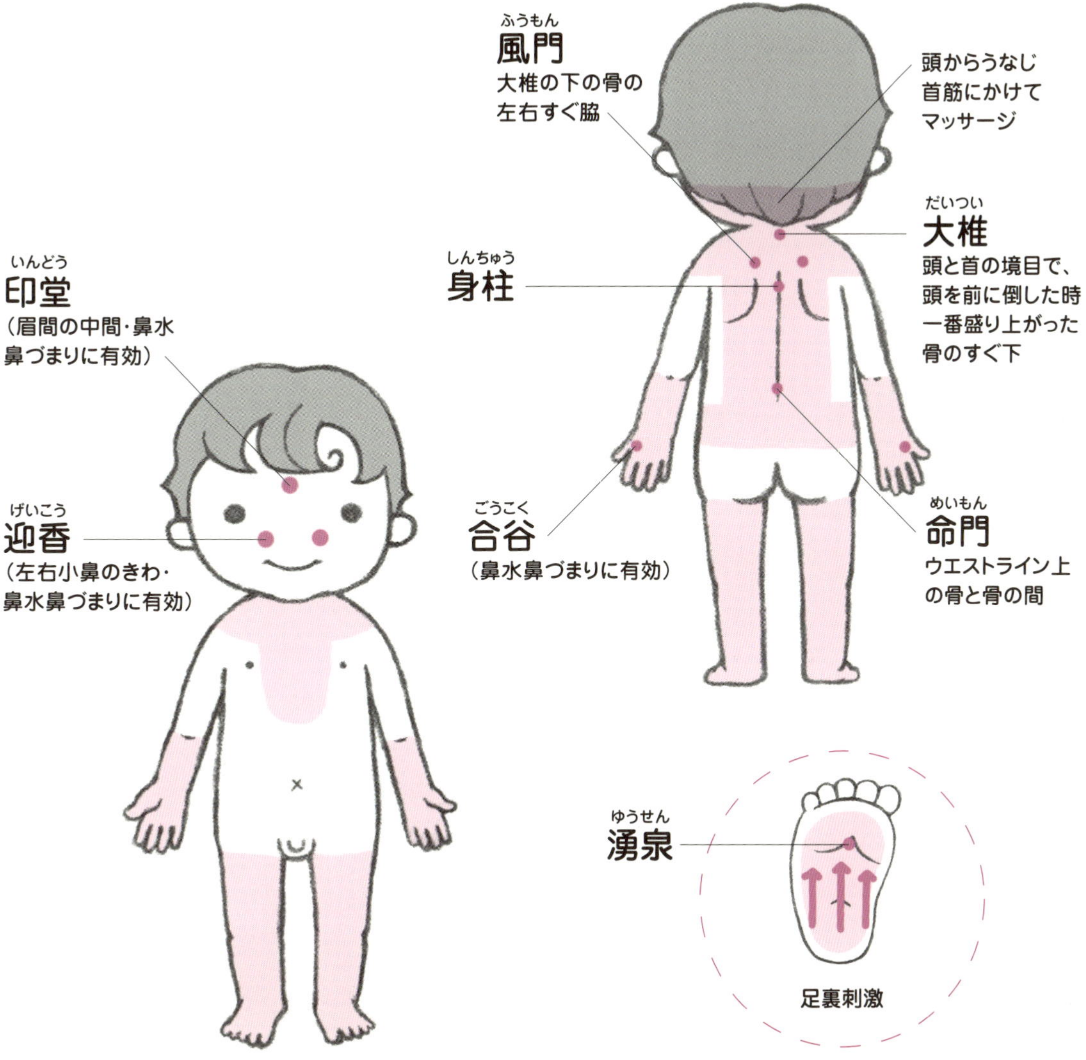

風門《ふうもん》
大椎の下の骨の
左右すぐ脇
頭からうなじ
首筋にかけて
マッサージ
大椎《だいつい》
頭と首の境目で、
頭を前に倒した時
一番盛り上がった
骨のすぐ下
身柱《しんちゅう》
印堂《いんどう》
（眉間の中間・鼻水
鼻づまりに有効）
迎香《げいこう》
（左右小鼻のきわ・
鼻水鼻づまりに有効）
合谷《ごうこく》
（鼻水鼻づまりに有効）
命門《めいもん》
ウエストライン上
の骨と骨の間
湧泉《ゆうせん》
足裏刺激

嘔吐（吐乳）

赤ちゃんは、3〜4ヶ月頃まではおっぱいやミルクをよく吐きます。口からダラダラ流れ出ていたり、ゲップと一緒に吐き出します。おっぱいやミルクを飲むときに一緒に空気を飲み込んでしまい、空気が口へと戻ってくる時に一緒に吐いてしまいます。赤ちゃんの胃袋が、逆流しやすい形をしているためです。授乳後にはゲップをさせましょう。

また、赤ちゃんは満腹を感知する脳のはたらきが未発達なので、胃の容量いっぱいまで飲んでしまいます。吐いてもまたお腹が空いたと泣き、体重も増えているようなら心配ありません。

寒い時に起こる嘔吐には、冷たくなっている手足をさすると喜こびます。食べ過ぎた時の嘔吐にはお腹が張っていることが多いので、みぞおちやお腹部分をそっとベビーマッサージをすると気持ちよさそうにしています。

暑い季節に冷たいものを食べ過ぎたり飲み過ぎたりしても嘔吐になる場合があります。お腹の冷たさを感じたら温かくなるまで手をそっと当ててみましょう。

チェックポイント

- 授乳後に吐きますか?
- 熱はありますか?
- 下痢していますか?

アドバイス

- 吐いたものが気管に詰まらないようにする
- 怒って吐いた場合は頭をそっとささえてマッサージ
- 寝かせる時は横向きか、頭を高くする
- 吐乳以外の嘔吐なら、口の中に残っているものを確認
- 嘔吐の合間に、口を湿らせる

ゲップの出し方

- たて抱きにして背中をさする
- 赤ちゃんを後ろからかかえ、背中をさする

こんな時は要注意!!すぐ病院へ

- 頭をさわると痛がる
- 吐いた後に激しく泣いたり、ぐったりしている
- 吐く回数が多く甘酸っぱい口臭
- 腹痛のため激しく泣く
- 意識が低下

効果的なマッサージゾーンとつぼ

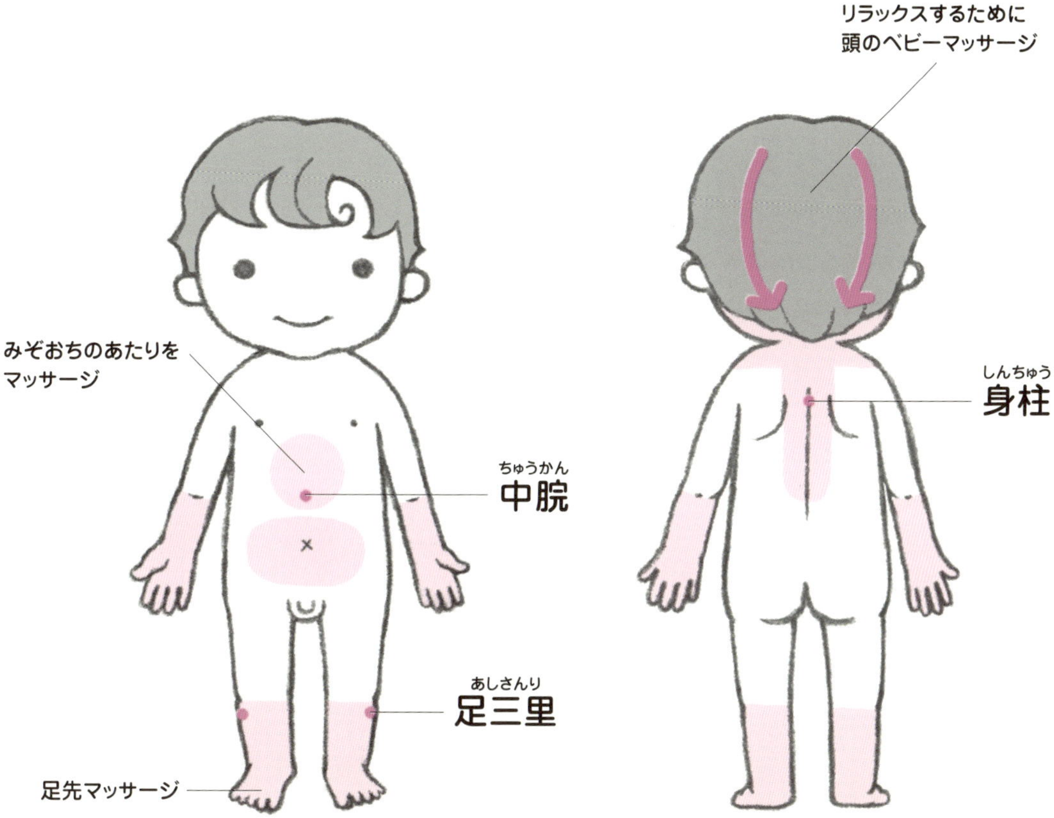

食欲不振

赤ちゃんは、自ら体調がよくなるまで食べないことがあります。

離乳食期は、そんなに期待どおりに食べる時ではありません。新しい食べ物を与えられた時は、その食感や味に敏感になったり、どのくらい食べるか気にしてじっと見ているお母さんの目に、いつもと違う雰囲気を感じてなかなか口を開けなかったりする場合もあります。お母さんがおいしそうに食べているものを、赤ちゃん自らがあ〜んと口を開けて食べようとする時がきますから、特別な離乳食を用意しなくても、お母さんと同じものを柔らかく食べやすい大きさにするだけで十分です。とかく離乳食期には、赤ちゃんの食欲不振が気になりがちですが、おっぱいを飲んでいたなら、あまり心配する必要はありません。

食欲がないのは、体調の低下している時が多いものです。無理に食べさせるより、1〜2日は様子をみてもいいかもしれません。食べる量も飲む量も減ってしまっていると感じた時は、機嫌の善し悪しで判断し、機嫌が悪い時には病院を受診してみましょう。うんちやおしっこがでていておむつ交換の量も大きく変わってないようなら、食欲増進になるようマッサージをしましょう。

チェックポイント

- 熱はありませんか?
- 口の中が炎症をおこしている

アドバイス

- 無理強いせず、嫌いなものは違う食べもので補う
- 調理方法で目先を変えてみる
- 大人も子どもの前で好き嫌いを言わずに食べる
- 入浴で汗をかかせる
- 足が冷たい時は足湯をしてみる

こんな時は要注意

- 食欲不振で熱がある
- 口の中が炎症をおこしている

効果的なマッサージゾーンとつぼ

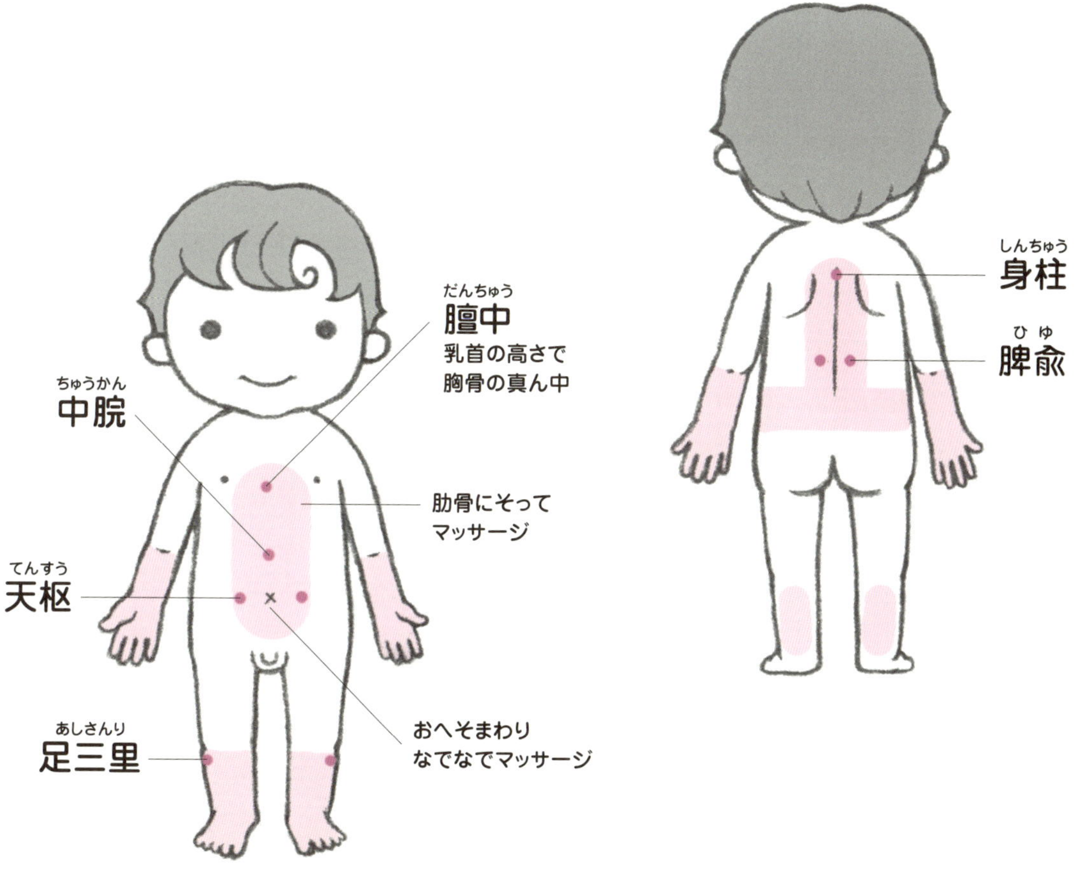

腹痛

赤ちゃんはお腹が痛いと言えません。でも何らかの方法で知らせようとします。足を折り曲げて泣いたり、顔をしかめて泣いたり、おっぱいはいらないと泣きます。話せない時期の赤ちゃんには、勘を働かせて思い当たる原因をつきとめてください。顔色が悪くなければ心配ないことが多いものですが、体が冷えた時や、ゲップがでない時、食べ過ぎや食べ合わせ、ガス腹、下痢、便秘などが原因であることが多いようです。

幼児期になると、お腹を押さえてここが痛いと教えてくれるようになります。腹痛や頭痛など、気持ちを表している場合もありますが、注意を要するものもあります。顔色が悪くなったり、激しく泣き痛みを訴える場合には病院を受診しましょう。

冷えてお腹が痛くなる場合は、冬の外出などで冷えた時、冷たい物を飲んだり食べたりした後、冷房が効いている室内にいた後、などが思い当たることでしょう。その場合には、お腹を温めたりさすったりすると喜ぶ場合が多いようです。

また、便秘や下痢、食べ過ぎ、食欲がない、よくゲップをする、ゲップの臭いがくさかったり口臭がする場合には、消化器系統の働きが低下している場合が考えられます。お腹が張っていたりお腹を押さえられるのを嫌がります。それぞれの原因に思いをはせ、対処していきましょう。

チェックポイント

- 腹痛の原因として何か思い当たることはありませんか?
- ストレスはありませんか?

アドバイス

- 一緒に過ごす時間や抱っこを増やしてみる
- 冷えに注意する

こんな時は要注意!!

- 熱がある時
- 顔色が悪くなった時
- 非常に激しく泣くとき

効果的なマッサージゾーンとつぼ

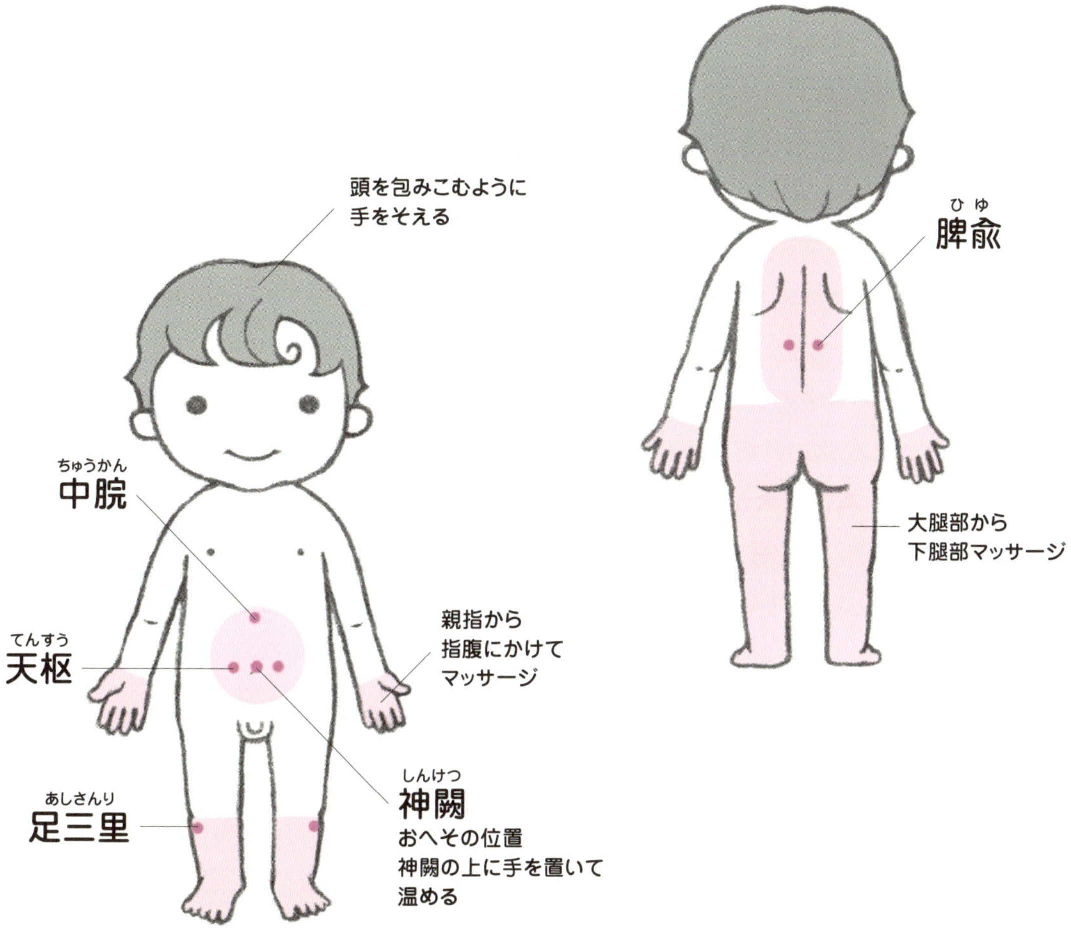

夜泣き（神経症状が強い場合）

大きな声で突然泣いたり、キーキー声をあげたり、手足をバタバタさせて泣く症状が見られる時期があります。生後6か月頃から8ヶ月頃にかけて多いお母さんの悩みです。「かんの虫」と呼ばれている症状です。

生後2か月くらいまでの赤ちゃんは、一日中寝ていてお腹が空いた、おしっこだと、ちょっとした拍子に起きてしまう浅い眠りを繰り返しています。生後4か月を過ぎる頃から赤ちゃんの睡眠リズムは大人に近づいていきます。さらに、夢を見ている状態の時もあるということがわかってきています。人見知り時期でもあり、はいはいをしはじめ行動範囲が広がった時期でもあり、毎日新しい経験をして、たくさんの刺激が夜泣きの原因となるのかもしれません。

大人と同じような睡眠リズムになったら、生活リズムも整えることが大事です。朝にはカーテンを開けてきちんと起こし、夜にはパジャマに着替えて電気を消して、眠る体制を整えます。睡眠と目覚めのリズムをしっかりつけると、体の抵抗力もついてきます。夜泣きは、赤ちゃんの不安だけではなく、眠いのに眠れない体の状態があったり、遊びたい時間が来てしまったり、赤ちゃんにとってもどうしようもない状態なのです。親はそのうちきっと治るとゆったり構え、生活リズムを整えることからはじめましょう。

チェックポイント

- 健康状態に問題はありませんか?
- おむつは汚れていませんか?
- 室温や湿度は適当ですか?

アドバイス

- 頭に手をそえる
- 部屋の空気を入れかえる

こんな時は要注意!!すぐ病院へ

- 泣き方がおかしい
- 熱があり、激しく泣く

効果的なマッサージゾーンとつぼ

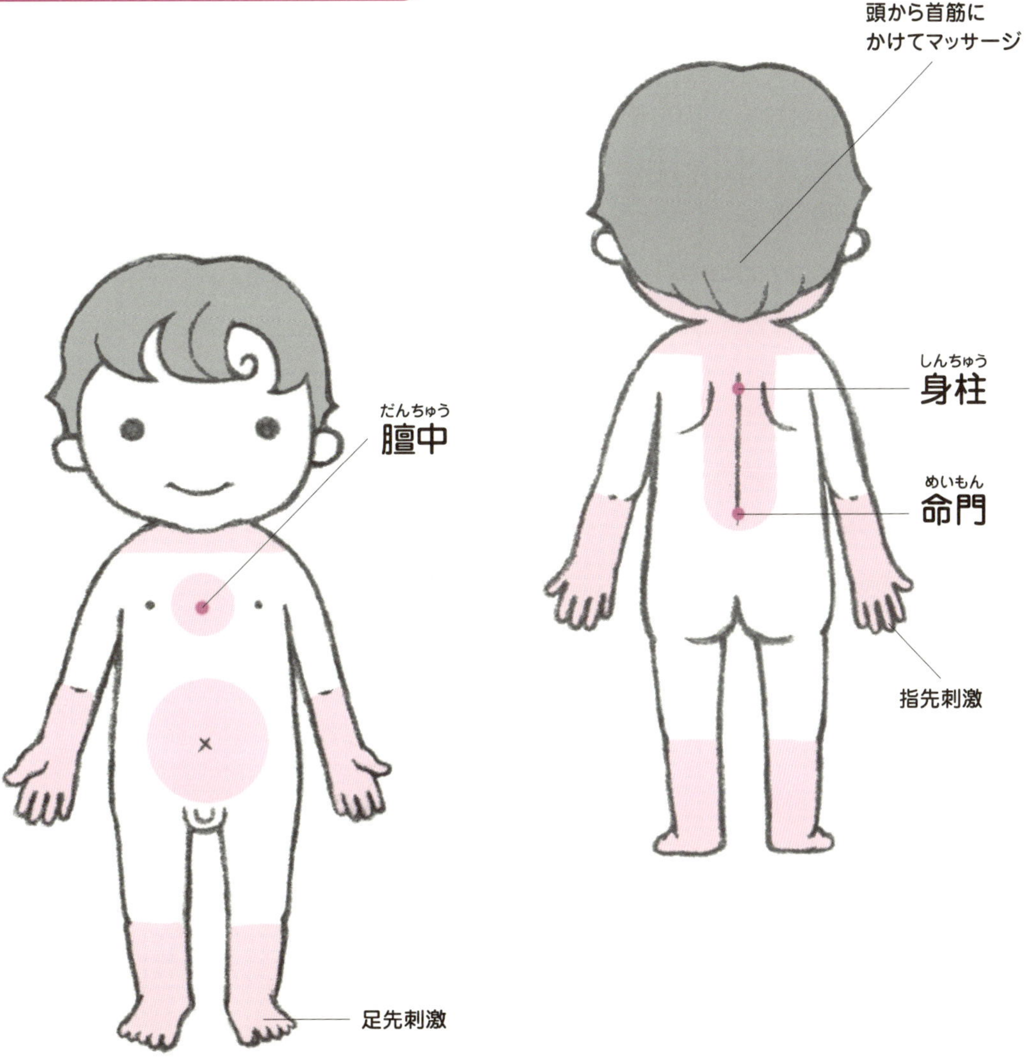

健康増進

　病気がちな時や気になる症状がある場合には、熱心にベビーマッサージを行うとよいでしょう。

　しかし症状が改善したり、少し大きくなってくると、ベビーマッサージが面倒な時もでてくると思います。気になる症状がない時こそ、病気をよせつけない体をつくることを目標に続けていきましょう。

　健康増進は、病気予防の体づくりが大切です。それには早寝早起きの生活習慣をつくることです。そして普通食を食べるようになったら、体をつくっていく食事も大切な健康の要素です。子どものおやつはデザートやお菓子と考えがちですが、食事と食事の間の間食です。 すぐにお腹が空いてしまう幼児にとっては一回分の食事と考え、伝統食や和食を見直していきましょう。また、食べ物や日常生活で体を冷やすことが多いので、冷えを遠ざけることも大切です。

　さらにベビーマッサージを取り入れて健康パワーアップを目指しましょう。気長に、楽しくが健康づくりの秘訣です。

チェックポイント

- ベビーマッサージを忘れていませんか？

アドバイス

- 早寝早起きの習慣をつける
- 間食をお菓子ではなく
  おにぎりや干しいもなどにしてみる

歩き回れるようになったら

- 薄着に慣れよう
- 下半身は保温して冷やさずに
- 外遊びで外光に当てる
- 体を動かしてその子に合った
  体力づくりをする
- 積極的に汗をかく生活を心がける

効果的なマッサージゾーンとつぼ

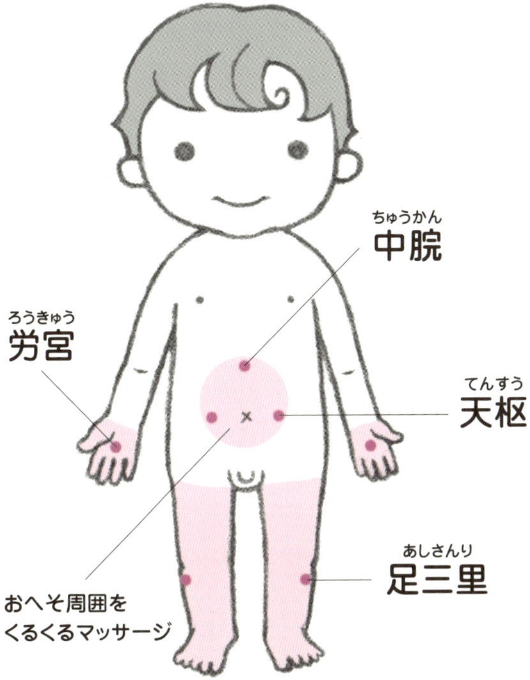

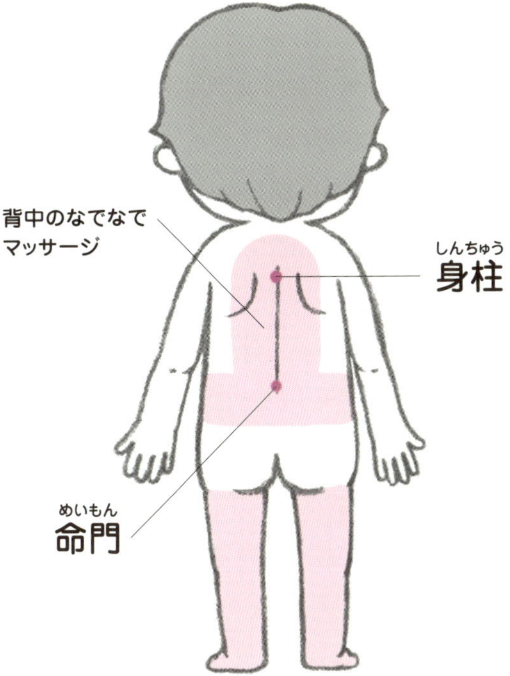

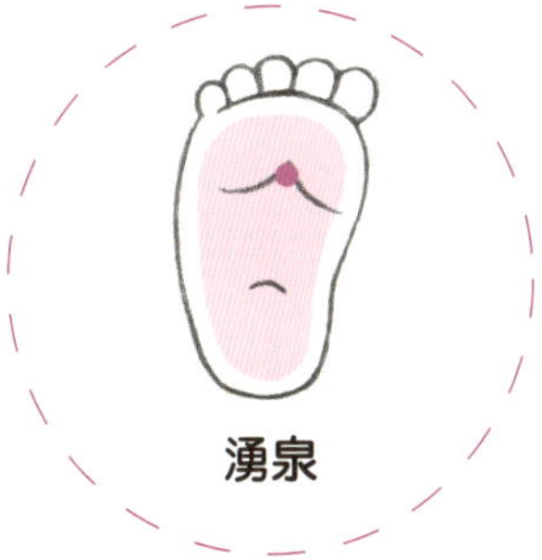

※幼児には背中と足のマッサージでも十分です。

小児喘息

喘息は、空気の通り道である「気道」に慢性的に炎症が起こっている状態で、少しの刺激でも発作を起こしてしまいます。気道にほこりやダニなどのアレルゲンや煙草の煙などの刺激物質が入ると、気道の粘膜が刺激されてしまい、過敏に反応し、さらに少しの刺激が加わっても痰が沸いてきたり、気道が狭くなったりして発作を起こします。周りに発作を起こすアレルゲンや刺激物質が多いことや、過敏な体質も関係しています。まずはアレルゲンとなるほこりやダニを取り除くように掃除し、家族は禁煙しましょう。

喘息発作がでないように、「風邪をひかさない」「疲れさせない（連れ回し過ぎ・寝不足）」を心がけましょう。また、怒られてばかりなどの精神的ストレスも発作がでやすくなります。お母さんが喘息発作が起こるのではないかとビクビク心配すると、子どもも心配になってしまいます。子どもの気持ちが安定するように、精神的な不安を取りのぞいてあげることが大事です。生活の中でアレルゲンを遠ざけ、生活リズムと食生活を整えていきましょう。

皮膚は皮膚呼吸をしています。暑い時には汗がでて、寒い時には体温の放散を防ぐように、皮膚の機能を活発にしておくことが必要です。

チェックポイント

- 子どものそばで煙草を吸っていませんか?

アドバイス

- 原因の対策（アレルゲンなど）
- お腹の調子を整えること
- 下半身の保温

こんな時は要注意!!すぐ病院へ

- 呼吸が苦しそうな時
- 発作が続いて止みそうにない時
- 薬を使ってもまた発作が起きたり、唇が紫色になったりしてる時

発作がおきた時の応急処置

- 軽ければ衣服をゆるめ、水分を与えて痰を切りやすくする
- 腹式呼吸をさせる

効果的なマッサージゾーンとつぼ

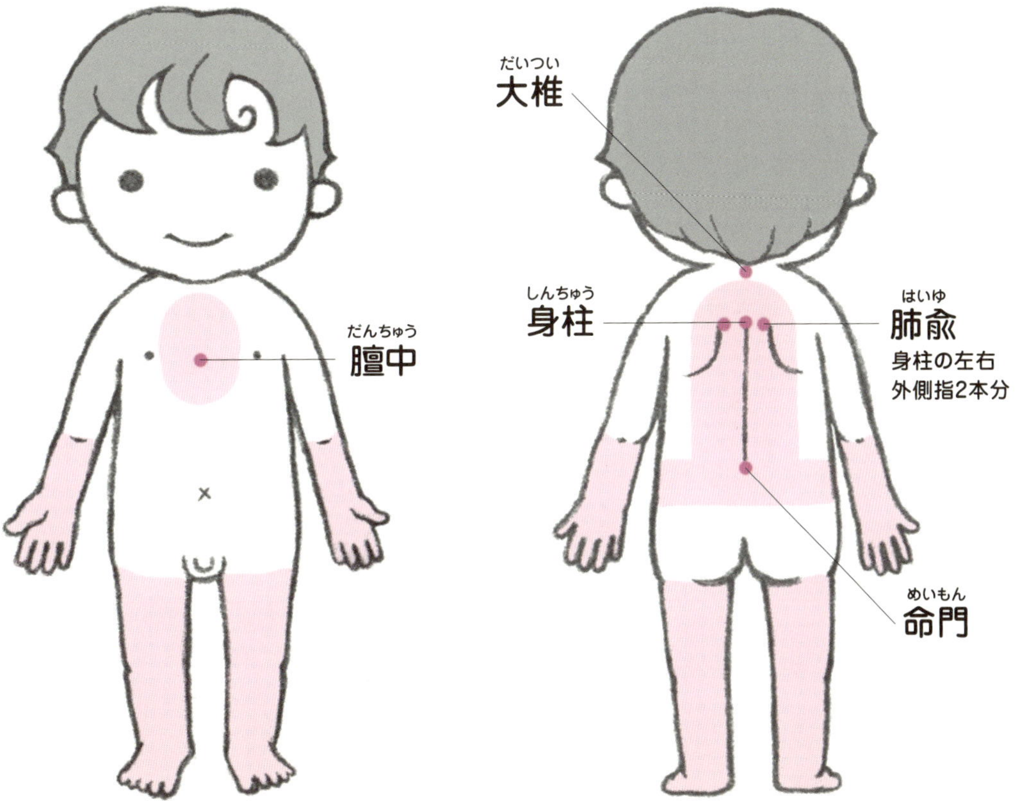

虚弱体質

風邪を引きやすい、食欲がない、疲れやすいなど体の弱い子のことを、俗に虚弱体質と呼ぶことがありますが、そのような医学用語は見あたりません。子どもは生後半年を過ぎる頃から自分の免疫力が目覚め、風邪をひいたり病気をしながら免疫機能を向上させていきます。体の成長とともに心配な症状も少しずつ解消し、元気になっていくことが多いものです。日常生活では、早寝早起きの生活リズムを整え、遊びを取り入れながら体を動かしていきましょう。

東洋医学では、両親二人の生命エネルギー（先天的な元気）を受け継いだ赤ちゃんは、生まれた後、自らが吸収する栄養と運動などで培われた生命エネルギー（後天の元気）によって、さらに成長発育すると考えられています。後天の気を増やすことで元気の総量が増します。後天の元気は、食べ物（地の気）と呼吸（天空の気）から体内に取り入れられます。バランスの良い食事を、よく噛んでおいしく食べることも大切な要素です。さらに、ベビーマッサージを積極的に取り入れることで病気をよせつけない体をつくっていきましょう。

チェックポイント

- 風邪をひきやすいですか?
- いつも元気がないですか?
- 家の中で過ごすことが多いですか?
- 食欲があまりありませんか?
- いつも具合が悪い症状がありますか?

アドバイス

- 日常生活リズムの見直し
- 食事時間と、食事をおいしく食べる工夫
- 早寝早起きで十分な睡眠時間を
- 外遊びで走り回ろう
- 冷たい飲み物や冷房で体を冷やしすぎない
- お菓子や清涼飲料水をおやつにしない
- 着せすぎず、下半身保温を心がける

効果的なマッサージゾーンとつぼ

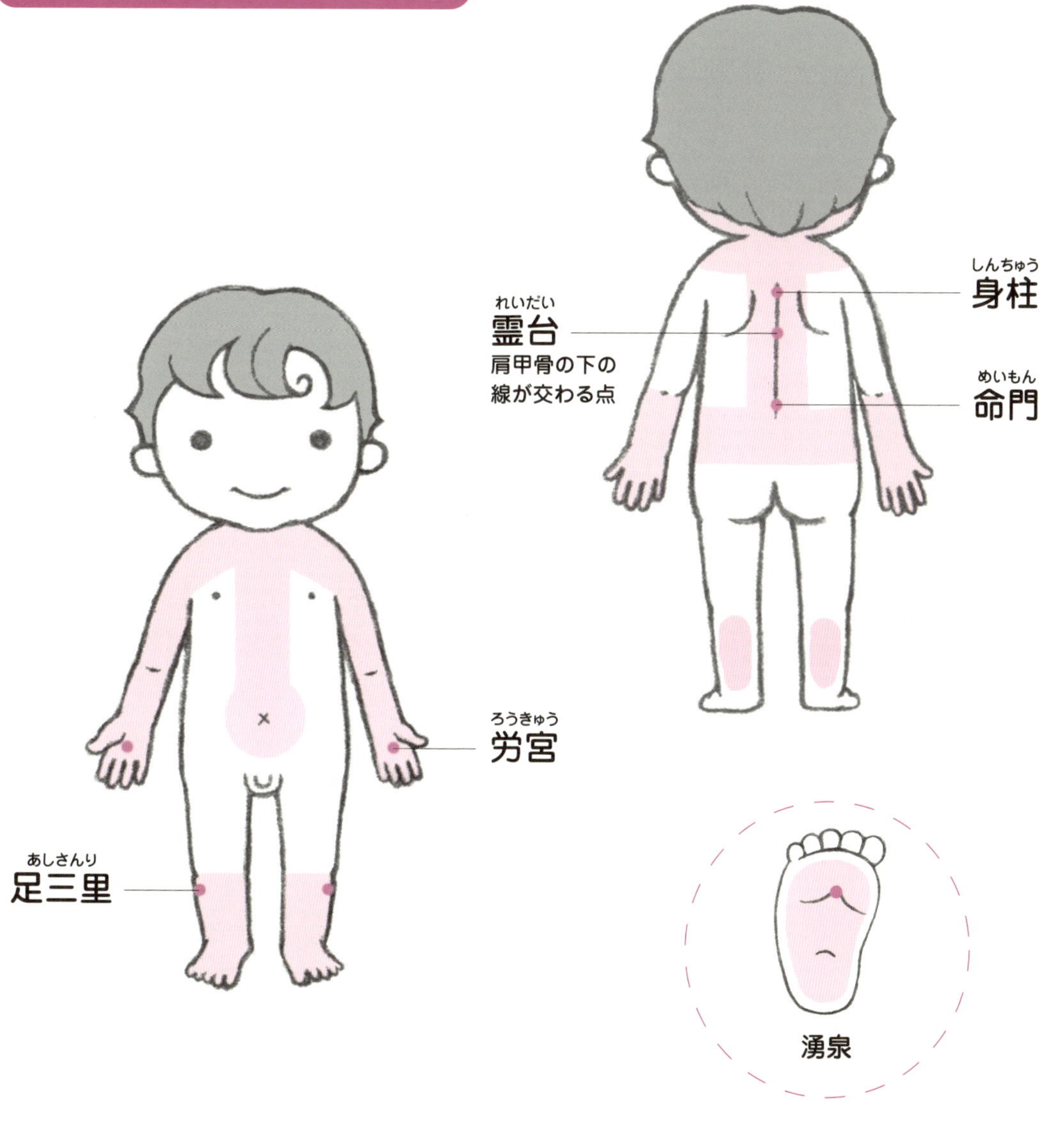

寝つきが悪い

赤ちゃんの眠りのリズムは、生後2ヶ月頃までは眠りのパターンがばらばらで、ちょっとした音や刺激でも目を覚ましてしまいます。この時期は、お腹が空いては起き、お尻が濡れては気持ち悪いよと泣き、満たされて快適になればすぐまた眠りについてしまいます。

生後2～3ヶ月頃の寝つきには、睡眠時間だけでは判断できないこともあります。お腹が空いていて眠れないこともありますが、体重が増えていれば心配ありません。赤ちゃんが寝返りができる3～4ヶ月頃から、大人の睡眠リズムに近づいてくるそうです。

寝つきがよくなるには、日中の過ごし方が大切です。体を動かして遊ぶことが、夜の寝つきを良くします。積極的に運動ができない時期の赤ちゃんには、ベビーマッサージや体操、お風呂に入ることなどで汗をかき、エネルギー消費をはかります。汗は、自律神経機能の働きにより体温調節を行っています。汗のかかない生活を長く続けていると、自律神経機能が低下し、上手に汗がかけない状態になり、体温調節もうまくいかなくなります。自律神経機能の低下がさらに進むと、朝なかなか起きられないなどの症状もでてきます。汗腺は、生後2才頃までに発達するといわれているので、それまでにしっかりと汗をかく生活をしておくことが大事です。

チェックポイント

- お風呂に入らず、シャワーだけですませていませんか?
- たくさん運動していますか?

アドバイス

- 早寝早起きをして規則正しい生活を
- お風呂に入る
- 外遊び
- 頭にそっと手をそえる
- 子どもの喜ぶ部分をマッサージする
- 寝る1時間前にはテレビを消す（興奮状態がつづいてしまうため）

よい睡眠をとるには

- 血行をよくして汗のかきやすい体をつくる
- ベビーマッサージの皮膚刺激で血行促進を高める（眠る前にするとさらに有効）
- お母さんも一緒に布団に入るようにすると子どもも安心して眠りにつくことができるので、眠れる環境を作ってあげる

効果的なマッサージゾーンとつぼ

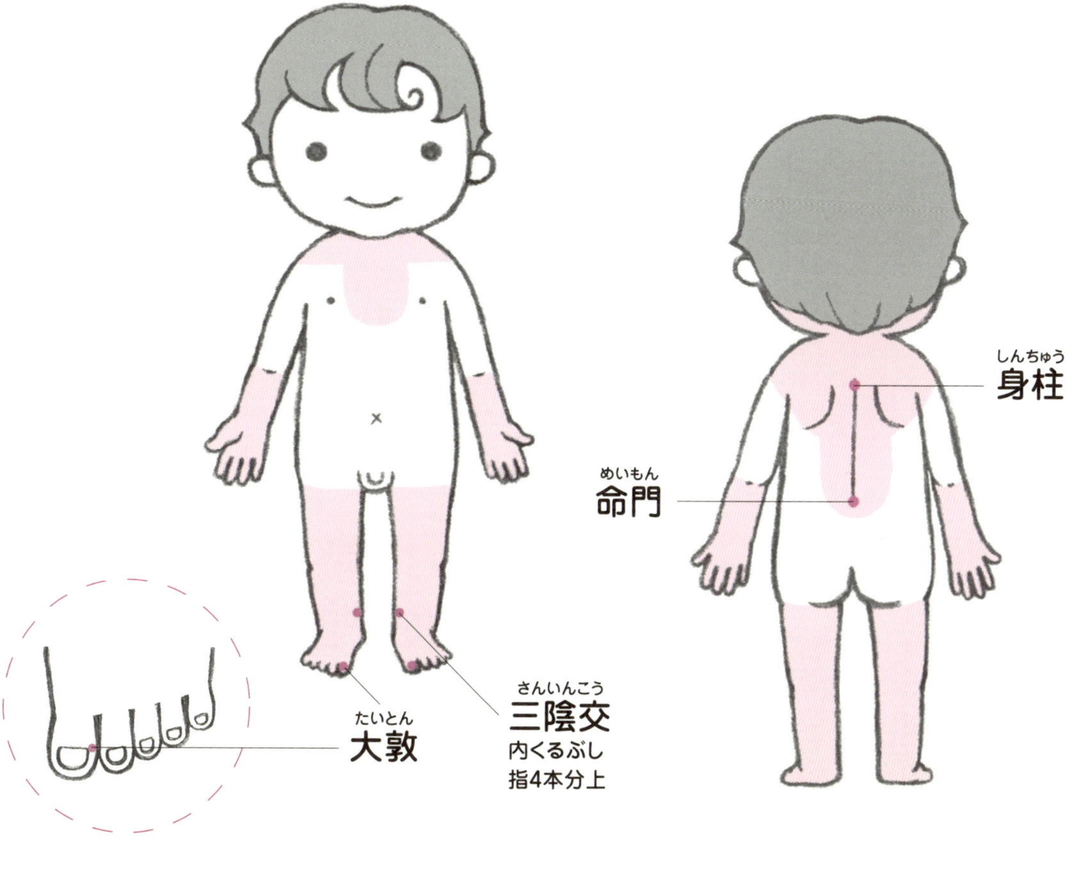

コラム

親子で楽しめるベビー体操

ベビー体操には、自然の発達を促しながら筋肉の強化や機能を覚えさせるなどの目的や効果があります。

回数は赤ちゃんが嫌がらない程度で、無理な動作や力を入れすぎたりしないように気をつけてください。特に、手首や足首を握る時には、関節のところを強く握らないように。

赤ちゃんの手はお母さんの親指を握らせて、赤ちゃんの手をつかまえて行います。足首は、お母さんの手でささえてあげます。最初は不安になったり、ぎこちない動きになりがちですが、赤ちゃんの喜ぶ表情を観察しながら楽しんでベビー体操をしてみましょう。

月齢別

3ヶ月頃（首がすわってきた頃）

●腕の交差運動

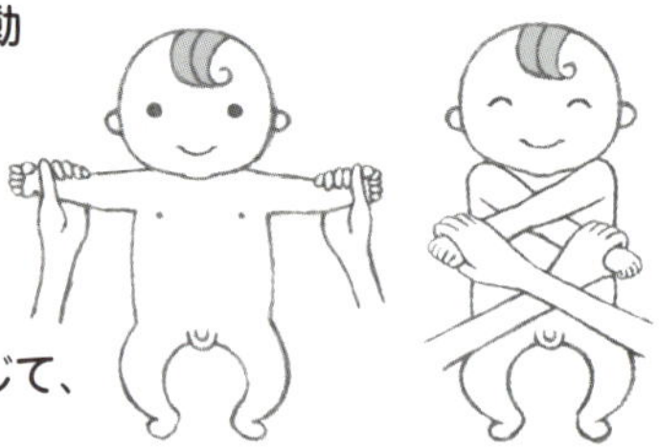

手を開いて閉じて、
開いて閉じて

5か月頃（寝返りができる頃）

●足の曲げ伸ばし

キック、キックと
合わせて両足キッ～ック

6ヶ月から10ヶ月頃
（はいはいができる頃）

●腕のあげおろし

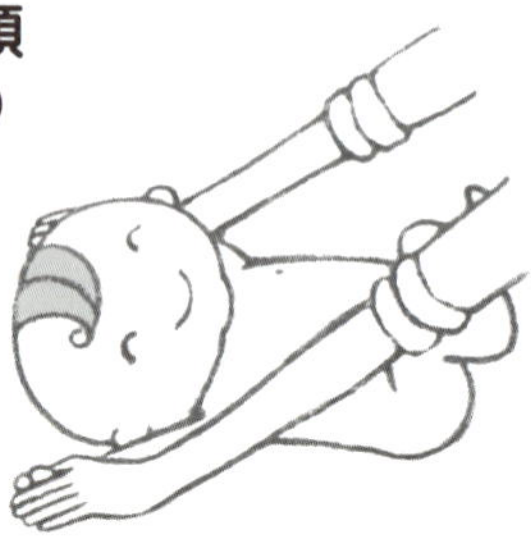

腕をあげて、おろして、
あげて、おろして

10ヶ月～1歳2ヶ月頃
（つかまり立ちができる頃）

● 足をあげる運動

両足を持ち上げて、
お母さんは手で支えて

第4章

小児はりとお灸療法

小児はりについて

「小児はり」と聞くと、赤ちゃんや子どもにもはり?と、不安や疑問に思われるかもしれません。小児はりは、突起状やローラーなど独特な形をしたはりで、皮膚をやさしく摩擦したり接触する治療法です。生後2週間ぐらいから小学生が主な対象です。

小児はりの歴史は明かではありませんが、江戸時代には小児はりについて記載されている本があり、その頃の地図にも「河内国の中野村の小児はり」(現大阪府)と明記されています。明治時代になると、この地域では1日500人位の小児はり治療が行われ、昭和初期までは門前市をなしていたそうです。大正時代には、主に関西地方から西の各地域で盛んに取り入れられるようになりました。

しかし残念ながら、核家族化や少子化に伴い、小児はりの良さを伝承する祖父母と生活を共にしていないことが影響し、ほとんど伝わっていないようです。子育てや病気についての不安を相談する人が身近にいないことも関係して、「まずは病院へ」の風潮になったことなどが原因と考えられますが、小児はりの存在すら知らない人がほとんどです。

小児はりには、鍼灸治療と同様禁忌症や不適応症がありますが、小児神経症状、呼吸器疾患、消化器疾患、眼科疾患、皮膚疾患、病気予防などのさまざまな症状に利用されています。もちろん大人にも利用できます。

関西では、小児はり治療のことを「虫はり」というほど、特に「疳の虫」症状に治療効果があると利用されてきました。疳の虫の「疳」には、甘い物を食べ過ぎて起こる病という意味があり、甘やかされたり、よく間食をする子どもに多くみられるといわれています。「癇が強い」の「癇」に通じていることもあり、「かんしゃくを起こしやすい」、「気が短く怒りっぽい」ことを示していて、すぐに噛みついたり、引っ掻いたり、奇声を発する、夜泣き、手足をばたつかせて泣くなどを小児神経症といい、小児が異常に興奮しやすくなっている状態を指しています。

小児はりによる治療時間は短いものですが、問診、視診、触診などを行って、お腹や背中をさわっていくこと、保育者と話しをしていくことも治療の一つです。刺激は、一般のはり灸治療と異なり、比較的広い範囲の皮膚表面を対象として軽擦したり摩擦していきます。大人より感受性がよく、反応が速い乳幼児の皮膚感覚を利用したものです。小児はりは自律神経系の調整、健康維持、病気予防を目的としています。軽い刺激が自律神経を通り脊髄や脳などの中枢に伝わり、内臓の働きを活性化させ、消化、吸収、発育作用を促進し、抵抗力のある元気な子どもへと導き、育てます。

興味を持った方は、一度お子さんに小児はりを体験させてみてはいかがでしょうか。

はりの種類

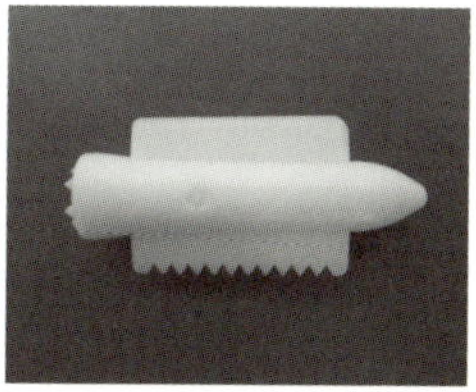

ディスポ小児はり

使い捨ての小児はり。刺さない針で、押したりさすったりして使用。

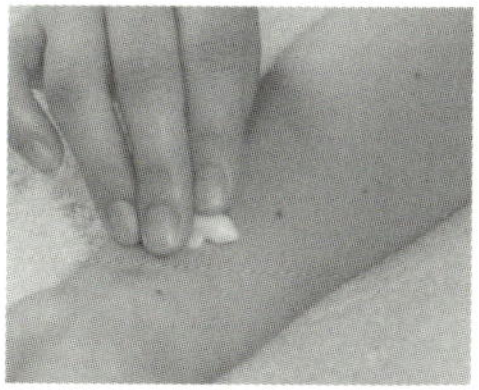

お母さんがまず練習

ディスポ小児はりを使って、お母さんがまず練習。力の入れ具合や強さの加減をあらかじめ知っておく。

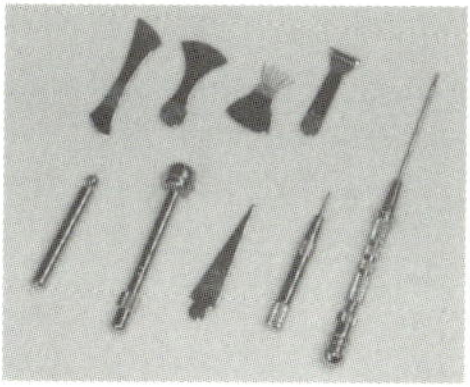

小児はり

種類はさまざま。直接皮膚に刺す針ではなく、皮膚の表面を軽くコロコロしたりトントンしたりして刺激をするもの。

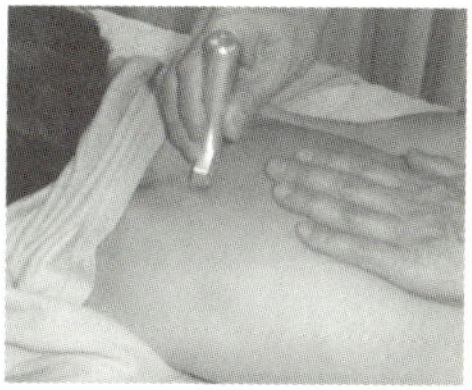

ローラーはり

ローラーはりで治療。コロコロところがして皮膚を刺激する。

お灸について

「灸を据える」と言えば、お仕置きされるようなイメージが強く、敬遠されてきた傾向にあります。しかし、健康増進や病気予防にはお灸が効果を発揮します。お灸による心地良い温かさを感じ、治療効果も実感できたなら、病みつきになると思います。ぜひ、一度お灸を体験して欲しいものです。

お灸は、灸師（国家資格）によりその灸術が継承されてきました。お灸は据えてもらった後、つぼの位置を教えてもらえば家庭で据えることができます。セルフケア型の代替医療として灸療法が普及してきている地域もあります。お灸は健康には欠かせない医療として見直されているのです。

お灸は艾（もぐさ）を使いますが、艾は「蓬（よもぎ）」の葉を加工したものです。蓬は、草餅を作る時に入れて食べるだけではなく、お風呂に入れたり、煎じて飲んだり、その成分にはいろいろな効能があります。

お灸は艾を燃やす一種の熱刺激です。お灸には、灸痕を残す有痕灸（有瘢痕灸、直接灸）と、灸痕は残さない無痕灸（生姜やにんにくをスライスしその上にもぐさを乗せて燃やす隔物灸、痕が残らないタイプの間接灸、直接肌につけずに温める棒状灸など）に分けられています。主な作用は、温熱刺激によって、「局所を温め循環を改善する」と、「生体の防御機能を増す」の二つがあげられます。

もともとお灸といえば有痕灸を指し、据えると炎症反応として発赤、腫脹、発熱、疼痛が起こります。有痕灸による施灸刺激が自律神経系、内分泌系、免疫系といったシステムに働きかけ、体をよい状態に保つように働きかけていることがわかってきました。お灸は、継続的に行うことでさらに効果があるといわれています。ちょっと熱い、火傷をすると敬遠されていたお灸には、たくさんの効果があったのです。もちろんほわっと温かい間接灸も、リラックスしたり血液循環が良くなったりします。

お灸の効果的な刺激量や刺激方法、間隔などは、今後さらに研究されていくでしょう。

小児のお灸

四国や西日本はお灸が盛んな土地柄です。現在は、痕が残るようなタイプのお灸はあまり行われていないようですが、子どものお灸としてその治療効果から今でも取り上げられているものに「ちりげの灸」といわれる、身柱のつぼにするお灸があります。小児疾患、疳の虫症状などすべてに対して用いられる特効穴として有名です。

その他、消化不良や慢性胃腸疾患に用いられる、「小児すじかいの灸」といわれるものがあります。喘息には、身柱、大椎などが治療として用いられ、夜尿症などにもお灸は効果を発揮します。

元気をつけるために行う「養生灸」もあり、虚弱体質などが気になる時には、お灸を継続して据えていくことで元気になるものです。赤ちゃんから大人まで、お灸もはりも本来持っている自然治癒力をさらに引き出す効果があるので、多くの人に知ってもらいたい療法です。

あるとき、「よく泣いて怒ってばかりいる子なんです!」と、助産師さんから紹介されて来院した9ヶ月の赤ちゃんがいました。肩が盛り上がったような体型で一見たくましくみえます。お母さんもおばあちゃんも上半身がたくましい子だ、と思っていました。Oちゃんは、呼吸するときに首を伸ばして肩で呼吸しています。お母さんも呼吸する時に声を出しながら苦しそうにするので心配になり、病院で検査をしましたが異常はなかったようです。Oちゃんは、よく泣き、よく怒っていたそうで、お腹で大きく呼吸することが出来ず、肩であえぐような呼吸をしていたため、肩や首に力が入ってしまっていたのでしょう。

ちりげの灸

身柱のつぼにするお灸のこと。身柱は特効穴といわれ、特に病気の症状がなくてもここを刺激すると病気の予防にもなる。

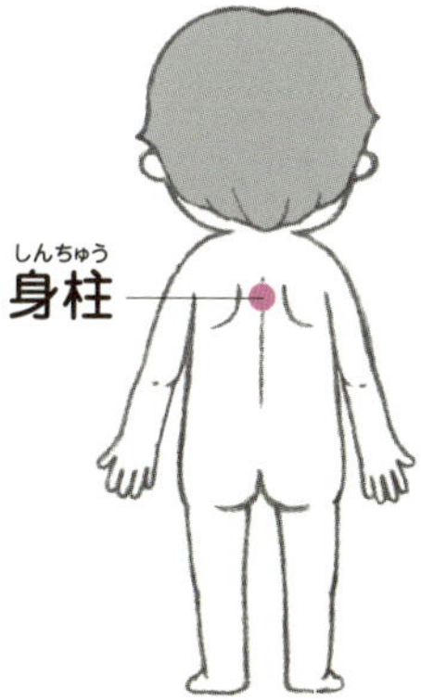

肩や背中のこりを取るために、小児はりとお灸で治療していきました。治療すると盛り上がっていたと思っていた肩がすとんと落ちて、お腹で、もっこりもっこり腹式呼吸ができるようになりました。幼児も赤ちゃんもお腹でゆったり呼吸できることが大切な目安になります。

小学生も治療にみえます。小学校高学年になるとお泊まり学習があります。それに参加するために夜尿症をなんとかしたいと来院する子がいました。夜尿症の原因や程度によりますが、治療では尿を蓄える力など、体本来のパワーをつける事に目標をおいてお灸を多用します。

子どもは、少し大きくなると何されるのかと不安になったり恐がったりしがちです。子どもに安心してもらうために、いろいろな種類のお灸やはりの治療道具があることを示しながら、自分で試してもらいます。納得したら「もくもくくん」と呼んでいる棒状灸を使って足裏を温めたり、電気温灸器を使ったりして治療します。慣れてくると間接灸や、直接灸を行います。お灸がほんわか温かく気持ちいいと、治療中に眠ってしまう子もいます。

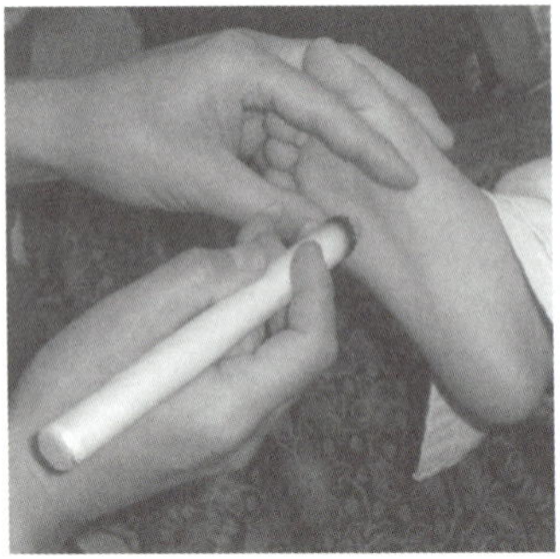

棒状灸

別名「もくもくくん」。間接灸なので熱くなく跡が残る心配もなく、ほんわり温かい。

電気温灸器

火を使わないのでお灸独特の煙もなく痕も残らない。温かくて心地よい。

症例

あるとき、小学生の女の子のMちゃんが、不安そうにお母さんに付き添われて来院しました。腹痛のため病院で検査をし、急性胃腸炎と診断されたそうです。痛みが強かったので、10日間の入院を2回ほどしましたが変化はなく、1ヶ月近くも腹痛が続いているとのことでした。

お話を伺うと、この夏休みに旅行した際、旅先で熱を出し小児科を受診していました。その後、家に帰ってまもなく、お腹が痛くなり病院を受診し、入院しました。すでに2学期が始まっていて、まだ学校に行けない状態で途方に暮れていました。退院後も、お医者さんから処方された整腸剤と痛み止めを飲み続けていましたが、同じようにお腹が痛いと訴えていました。

Mちゃんのお腹や足先をさわってみると、特に足先が冷たく湿気を帯びていました。下痢も繰り返しているということで、お腹は力がなく冷たい状態で、硬いこりを手に感じました。旅先で冷えたうえ、さらに入院した病院の冷房でも体が冷えてしまったようで、しきりに寒いと訴えていました。治療は冷たくなっている足先が温まるように、小児はりやお灸を使っていきました。治療後、帰りの電車の中で、汗をたくさんかいてぐっすり眠ったそうです。その後も汗がよく出て、入浴中にアカが驚くほどたくさん出たそうです。その翌々日には学校へ行き始め、途中何度か痛みが出たこともありましたが、以前よりも軽くなったと話してくれました。次の治療日後には、もう元気に学校へ通い、運動会にも出られると張り切っていました。

小児はりの効果に驚き、お灸のファンになってくれたMちゃんです。

小児はり灸Q&A

Q 小児はりは痛くないですか？

A　小児はり治療で使用するはりは、皮膚に刺入するものではなく、皮膚を摩擦する治療です。痛くなく気持ちいいと感じるような方法なので、慣れてくると治療に喜んで来るお子さんがたくさんいます。

Q 治療時間はどれぐらいですか？

A　お子さんの年齢、症状、体力などによって治療時間も異なりますが、体への刺激そのものはおおよそ5分程度です。しかしお子さんとお話したり、保護者にお話しを伺ったり、また自宅でできるケアや生活上の注意点などをお話することも含めると30分程度はかかる場合が多いようです。

Q はりで感染しませんか？

A　はりは個人専用の使い捨てタイプのはりを使用しているところが多く、また高圧滅菌した器具を使用していれば感染の心配はありません。感染疾患を持っている方にはあらかじめ申し出ていただくことが前提ですが、小児はりにも個人専用のディスポ小児はりがありますので、感染の心配はありません。

Q 鍼灸治療の後どれぐらいでお風呂に入ってもいいですか？

A　治療後、最低1～2時間が経過してからの入浴がいいと思います。お子さんの月齢や体調により様子を見てはいかがでしょうか。

Q 自宅でもできますか？

A　はりは医師とはり師以外には行うことができません。小児はり治療は皮膚に刺入するものではなく、皮膚を摩擦しますので、はり灸師から教えてもらい、自分のお子さんに個人専用ディスポーザブル小児はりやその代用品などで皮膚を軽擦することは可能です。自宅で行う場合は、代用品でも可能です。

第5章

妊娠中と産後のケア

妊娠中のマイナートラブル

妊娠したら、毎日が新しい自分の体との出会い。初めての妊娠ならなおさら体の変化が気になります。妊娠中の気になる症状は、マイナートラブルと言われ、大部分が出産と同時に消えてしまいます。そのため「出産までの辛抱です」「そのうちに治りますよ」などと言われてしまいます。程度は放っておいても治るものから、病気のサインのものまであります。

不安や心配を抱えているよりは、まずは、身近な助産師さんや、医師にご相談ください。不安の原因は解決しておきましょう。気になる症状が出てきたら、この機会に日常生活をチェックしてみましょう。食事、姿勢など、原因は意外に身の回りから発生していることが多いものです。症状に応じて、自分でできるつぼ療法＆手当に加え生活方法を紹介しますので、ぜひ試してみましょう。

妊娠中の不快な症状の改善は、快適妊娠生活につながります。そして、何よりも出産に向けてのパワーをつちかいます。お腹の赤ちゃんと会話するハッピータイムとして、赤ちゃんとの出会いに向かってつぼ療法をしましょう。

腹式呼吸で力を抜こう

❶ 横になるか、椅子に腰掛けます。

❷ 軽く目と口を閉じて、鼻からゆっくり息を吸い込みます。この時お腹がでるように息を吸い込みます。お腹に手を軽くのせ、胸に反対の手をのせて、胸だけが上がっていないかを確かめながら行います。

❸ 息を吐くときは、お腹がぺちゃんこになるまで吐き出し、吐く息に併せて、体全体の力を抜いていきます。

❹ 力の入っているところや緊張しているところに意識を向けて、息を吐きながら緊張しているところの筋肉の力を抜いていきます。声を出しながら「あ～」と息を吐いていくことも一つの方法です。大いにため息をつきましょう。

※妊娠7ヶ月以降は長時間のあお向けの姿勢は避けましょう。

つわり

つわり症状は、吐き気やムカムカだけでなく、喉の渇き、胸やけ、頭痛、腰痛などその症状も程度もさまざまですが、軽いものまで含めると60%の人が経験しています。妊婦さんにとっては、今の生活をどうするか、仕事、家族との関係、妊娠出産への不安に対応しなくてはならないなど、精神的にも肉体的にもつらい大変な時期です。神経質になりすぎずに体には休息を与え、難問には一つずつ解決の方向を探しながら過ごしましょう。肩こり感や、もともとの胃腸の弱い方、冷えを訴える方は、その改善が必要です。不安や心配もつわりを悪化させるので、イライラ解消を心がけましょう。

こんな時はすぐ病院へ！

- 水分も摂れずに吐き続ける
- 体重が5キロ以上減った

アドバイス

- 少量ずつでも口に入れてみる
- 水分補給を忘れずに
- 足が冷たい時は、足湯や半身浴で温める
- 腹式呼吸をゆっくり行う時間を設ける
- 首筋から背中にかけて温める
  （ホットタオルなどで）

重要！

つぼの位置は目安にし、マッサージゾーンに重点をおきましょう

効果的なマッサージゾーンとつぼ

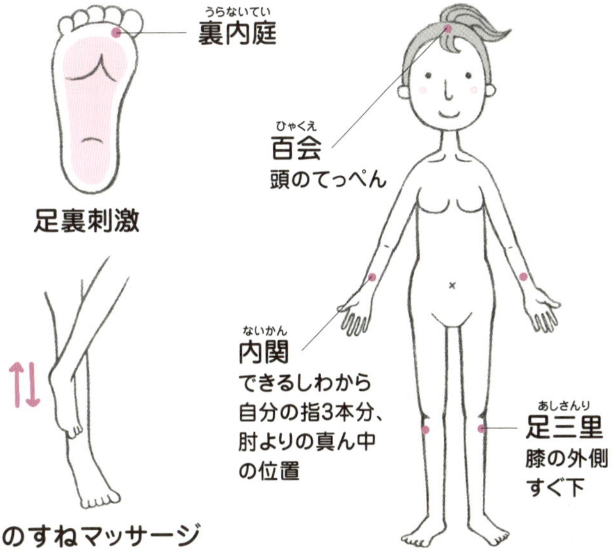

足のむくみ

妊娠中は体に水分がたまりやすく、むくみの出る人が多くみられます。立ち仕事のあとは、靴が履けないほど足のむくみが強くなる人もいますが、一晩寝るととれてしまうのがほとんどです。腎臓、心臓、肝臓、内分泌などに異常がなければ特に心配はいりません。

東洋医学では、水や血は「気」によって全身に運ばれると考えられています。気が滞りなく巡っていれば、下にたまりやすい水を持ち上げることができます。むくみも元気が少なくなった状態（体調不良）のサインととらえ、つぼ刺激で気の流れを整えて改善していきましょう。もし疲れているなら、安静を心がけることも必要です。

こんな時は要注意！

- 足だけでなく手や顔のむくみと体重が増加した場合

アドバイス

- 塩分控えめにする
- 体を冷やす冷たい飲食物は摂らない
- 腰湯で、汗をかく
- サポートタイプのストッキングを着用
- 足を組まない
- 足首まわしや足を反らせる伸ばすストレッチ

効果的なマッサージゾーンとつぼ

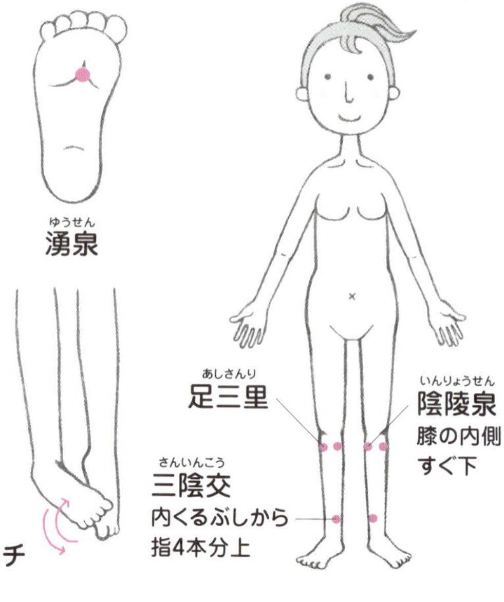

頭痛

頭痛は、目の疲労、歯のかみ合わせ、肩こり、血管の問題等、さまざまな原因で起こります。対象となる症状は、頭が締めつけられるような筋肉の緊張や、ズキズキするような血管性頭痛といわれるものです。妊娠中は、分娩に対する精神的な不安や緊張状態あるいは不眠などが原因でなることも多いようです。お産のしくみや流れを知り、恐怖感を取り除いていくことも方法のひとつです。また疲れ目や、首筋のこり、肩こりなどを感じたら積極的に改善も図りましょう。

こんな時は要注意!

- 頭を振った時に痛む
- 吐き気を伴う場合

アドバイス

- ストレス解消を心がける
- 腕を振ってウォーキング
  （肩こりなどをとり血行をよくします）
- 頭の筋肉の緊張をとるように頭を両手で包み込む
- ホットタオルを首筋に当てると効果的
- こめかみをそっと押さえる

効果的なマッサージゾーンとつぼ

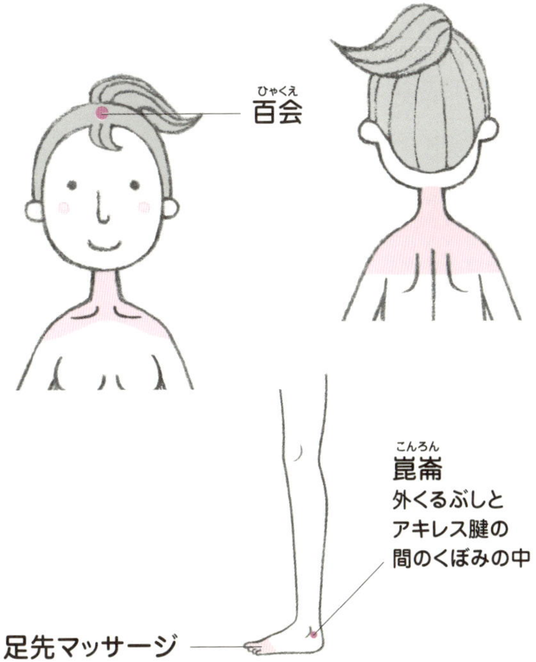

静脈瘤

妊娠すると、血液量が増え、体重も増えてきます。血液を心臓まで戻すのに、遠い下半身の静脈は、重力がかかっている上に、さらに大きくなった子宮に、骨盤内や下肢の静脈を圧迫されます。この負担により静脈瘤が現れてきます。静脈瘤が出ていても痛みを感じない人もいますし、足がだるくなる人もいます。下肢静脈瘤は、片足がむくんだり痛みを伴うこともありますから注意が必要です。立ち仕事の多い人、ふだんから静脈が浮き出ている人は、妊娠したら、体重管理はもちろんのこと、下肢への負担を和らげるように生活動作に注意を払って悪化しないよう予防しましょう。

産後はほとんど目立たなくなったり消えたりしますので、安心してください。

こんな時はすぐ病院へ！

- むくみだけでなく痛みを伴う場合

アドバイス

- 下腹部に力を入れる動作を避け、排便時もいきまない
- きつい服、締め付ける下着は避ける
- 適度な運動をする
- 弾性包帯や弾性ストッキングの利用
- 各種ビタミン類を適量摂る
- 横になって休む時には足の下に座布団や枕を置く

効果的なマッサージゾーンとつぼ

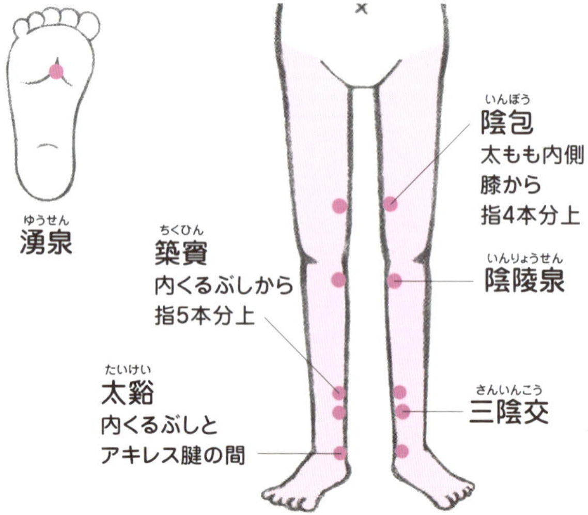

下肢のけいれん（こむらがえり）

お腹が大きくせり出してきた頃からよく見られる症状です。寝返りや足を伸ばした時に、足のふくらはぎあたりがつるものです。つってしまったら、静かに足指を持って伸ばすなどしましょう。原因はカルシウムが足りないとか、ビタミン不足などとも言われていますが、筋肉の疲労からも起きます。妊娠中のお腹をせりだした姿勢では、ふくらはぎや踵《かかと》に体重がかかりやすくなります。また体重が増えた分、筋肉には、今までよりもかなり負担がかかってきます。やさしく下半身の血行を良くするよう筋肉をもみほぐしていきましょう。

アドバイス

- レッグウォーマーでふくらはぎが冷えないように保温する
- 靴底は高すぎない
- 足枕をおく
- 体重は太りすぎないようにコントロール
- 小魚、納豆、海草類を積極的に摂り、カルシウムの吸収を妨げるインスタント食品（リン酸）の過剰摂取を避ける
- 緑黄色野菜、大豆などを積極的に摂る
- 足首回しで血液循環を良くする

効果的なマッサージゾーンとつぼ

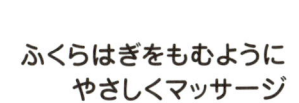

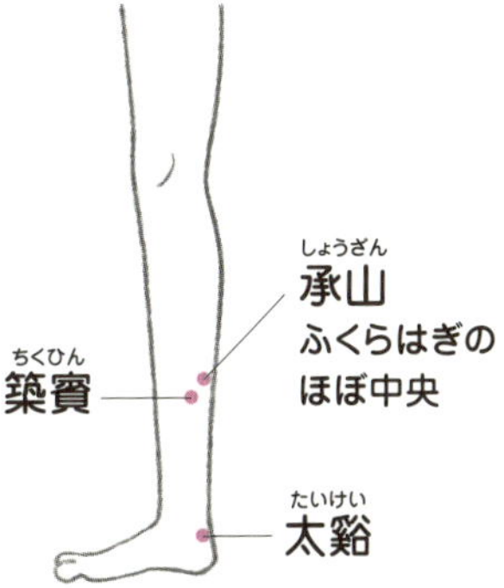

痔・脱肛

妊娠中の大きなお腹に圧迫されて下半身の血行は悪くなります。また、妊娠中や分娩時には腹圧がかかるため痔になりやすくなり、さらに便秘やホルモンも影響してきます。

便秘から痔への悪化を防ぐには、運動と食生活の改善が欠かせません。毎日の食事に海草や繊維の豊富な根菜類を取り入れていきましょう。排便後はぬるま湯で肛門周囲を洗浄して清潔を保ち、薬を塗っておくなども悪化を防ぎます。東洋医学では、血の流れが滞って肛門をふさぐことにより痔核になると考えます。冷えも血行を悪くするので、特に下半身の血行をよくするために適度な運動も必要です。

こんな時は要注意！

- 肛門からの出血は大腸癌と鑑別してもらうためにも病院へ

アドバイス

- お風呂にゆっくりつかり血行を改善し、肛門部を清潔に保つ
- 冷えを改善するために足湯をする
- 貼るカイロをお尻に使用して痛みを和らげる
- 規則正しい排便の習慣をつけ便通を整え、いきみすぎない
- 食物繊維を充分摂る
- 全身運動を取り入れる

効果的なマッサージゾーンとつぼ

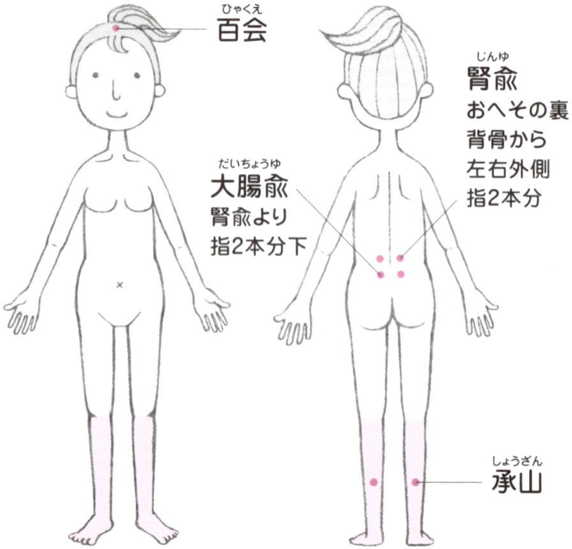

排尿障害（尿漏れ・頻尿）

ちょっと恥ずかしけど、以外に多いのが尿漏れです。妊娠中は6割、産後1ケ月以上続いたという人が1割もいます。妊娠中の尿漏れはホルモンが関係することと、大きくなった子宮により膀胱が圧迫されることが直接の原因と考えられています。産後も考慮して、妊娠中から予防していきましょう。

お腹が張り、膀胱が圧迫されているような感覚がある方には、お腹の張りの改善も目指しましょう。東洋医学では、自分の尿を蓄えておくパワーが低下した場合や、冷えなども関係すると考えています。冷えを感じたり、足先が冷たい時などは、下腹部や腰、下半身の保温に努めましょう。

こんな時は要注意！

- 膀胱炎からの頻尿もあるので、
一度病院で相談を

アドバイス

- 体重増加は尿漏れしやすいので増えすぎない
- 便秘をしないようにする。
排便時にいきまない
- 重い物を持たない
- 足先が冷たい時には足湯を、
下腹部が冷えているときには腰湯を
- 貼るカイロなども冷えを感じた時には
使ってみる（低温やけどに注意）
- 腹筋を鍛える

効果的なマッサージゾーンとつぼ

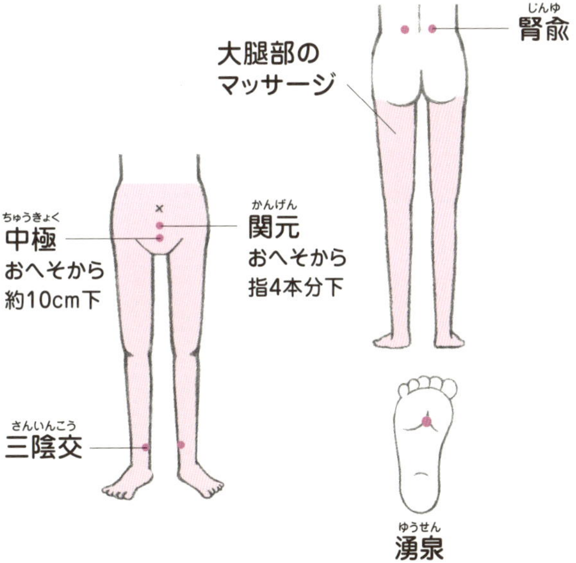

肩こり

妊娠中は、次第に大きくなってきたお腹を突き出した姿勢で、背中は倒れないように丸め、首を前に突き出しあごをあげた姿勢になります。本来のS字状を描いていた背骨のバランスがくずれて、首や肩、腰に過重な負担がかかります。体重も増え、運動不足も重なって、これらの筋肉が疲労してこり固まってしまい苦痛に感じている状態です。

また、産後はぐんぐん大きく重くなりつつある赤ちゃんを抱っこするので、まさしく筋肉疲労になりがちです。筋肉の緊張をゆるめるようなマッサージやつぼ療法で予防していきましょう。

アドバイス

- ぬるめのお風呂で筋肉の緊張をゆるめる
- 授乳姿勢は母児ともに楽な姿勢で
- 足の冷えの改善を
- 抱っこやおんぶの姿勢の見直しを
- 腹式呼吸をする

肩こり解消ストレッチ

効果的なマッサージゾーンとつぼ

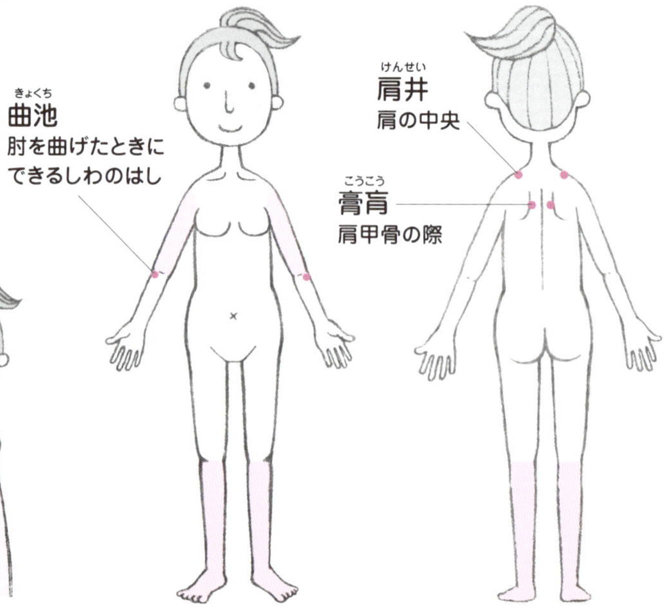

腰痛

妊娠中は、子宮が大きくなりお腹は前に突出します。重心のバランスを図るために腰椎は深く前彎し、腰や背中の筋肉は緊張します。腰やふくらはぎの部分をやさしくもみほぐしていきましょう。

産後は赤ちゃんを抱くことが多くなり、片側に体重をかけるような姿勢が多くなりがちです。腰はお腹と腰の筋肉で支えられていますが、産後ゆるんだお腹が快復してくるまでは腰の筋肉だけで頑張っている状態です。ゆるんだお腹の筋肉を早く回復させていきましょう。

こんな時はすぐ病院へ！

- ぎっくり腰の場合
- 激しい腹痛や下腹部痛
- 卵巣腫瘍などがある場合
- 足にしびれをともなう場合

アドバイス

- 妊娠中の眠る時は横向きになり腰をくの字に曲げたり、足枕を利用
- 台所仕事、洗面の時に足踏み台を置く
- 痛む部位に手を当ててゆっくり腹式呼吸
- 産後はウエストラインではなく、さらしで骨盤を支えるようにする

効果的なマッサージゾーンとつぼ

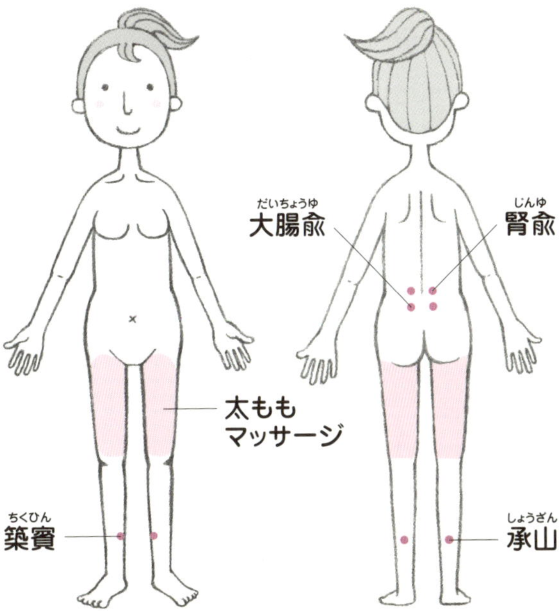

疲労感

妊娠中は赤ちゃんの分もがんばる体になるため、疲労感もでてきがちです。そのままにしておかないで、休息と運動をうまく取り入れて出産に望みましょう。また、大きなお腹のために熟睡できない人もいます。妊娠中は疲れ易いので、毎日適度な仮眠をとるように心がけましょう。

妊娠・出産という大仕事をした後も、すぐに続く子育てがあります。産後の体力の回復時期は、自分の体の回復と同時に赤ちゃんの哺育と子育を同時進行しなければなりません。育児と子育ては体力勝負ですので、お母さんの疲労回復を図るためにも家族や周りへサポートをお願いしましょう。背中や腰のマッサージをしてもらうことはリラックスできるのでおすすめです。

こんな時は医師に相談を！

- 少し動くとお腹の下垂感や張りを感じ、動くのが苦痛な場合
- 疲労感が続き、徐々に強くなる場合

アドバイス

- 眠りづらい時は抱き枕を活用
- よく噛んで、おいしく食べ消化吸収の働きを良くする
- リラックスして腹式呼吸が出来るようにする
- 添い寝や添い乳ができるようにしましょう。
- 腰湯や足湯で、お腹や腰を温める（冬は貼るカイロもおすすめします）

効果的なマッサージゾーンとつぼ

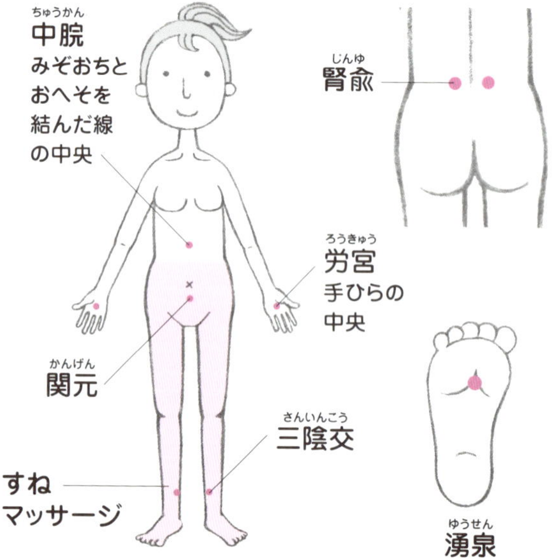

便秘

妊娠すると、大きくなった子宮に腸が圧迫され、腹圧が低下するのでいきみづらくなることや、運動量も減り気味で、腸の動きも鈍くなり押し出す力も滞りやすくなります。痔があると便意を抑えがちになり、便秘は頑固になっていきます。

産後の母乳育児をされているお母さんは、意識的に水分摂取を心がけないと水分不足になります。産後は食事のリズムも乱れやすく、イライラしたり、ストレスや疲れも溜まり、それも便秘を引き起こしやすい要因です。

朝食後の排便リズムをきちんと習慣づけしましょう。

こんな時は医師に相談を！

- 運動や食事でも改善されない場合

効果的なマッサージゾーンとつぼ

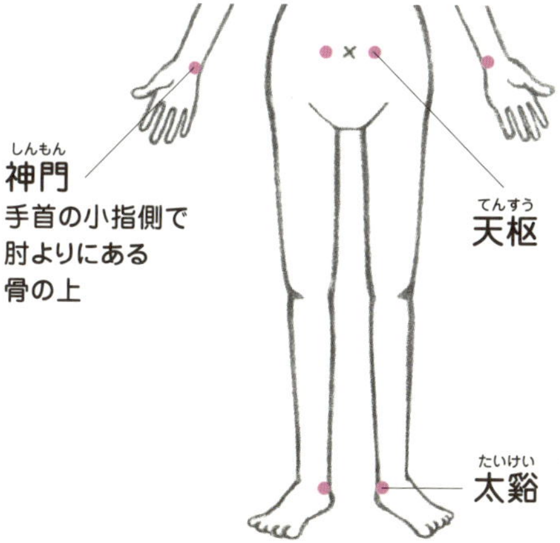

アドバイス

- 適度な運動の習慣
- 腹式呼吸
- 根菜類（ごぼう、さつまいも等）
  海藻類（ひじき、わかめ等）を摂取
- 朝食後または起き抜けに水分補給し、
  胃大腸反射を亢進させる

腰フリフリ体操

冷え症

冷えは、主に手足の先、時には膝下あたり、背中など体のある部分が冷たいと自覚するもので、体温が低下することはありません。原因としては、血管に作用する自律神経の機能が乱れ、血管が細くなり血流が低下してしまうことが考えられます。

特に妊娠中は喉ごしのよい冷たいものを食べたくなりがちですが、控えめにしておきましょう。冷たいものを飲食しすぎたり、夏の冷房の使いすぎは、体の機能を低下させ、お産を進みにくくさせたりもしますので、普段から暮らしの中で冷えの予防を心かけていきましょう。

東洋医学では冷えは陽の気の不足と考えています。陽気は体を温める作用がありますがその陽気が不足した状態と考えます。身も心も陽気が一番です。冷やすことは禁物です。

こんな時はすぐ病院へ

- 四肢の痛みや皮膚潰瘍などがある場合

アドバイス

- 体を冷やす生野菜や果物を食べ過ぎない
- ウォーキングやストレッチなどの適度な運動を心がける
- みぞおちまでつかる半身浴、ふくらはぎまでをお湯につける足湯を
- 外出の際などはカイロ（貼るタイプなど）を使用して腰やお腹を温める
- 下腹部に手を重ねて置き腹式呼吸を繰り返す

効果的なマッサージゾーンとつぼ

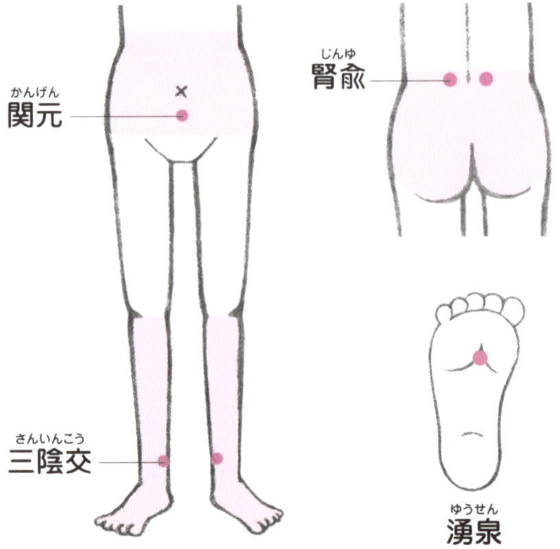

抜け毛

髪の毛は平均して約10万本前後が生えていて1日50～60本位抜け替わりしています。女性ホルモンなどの分泌量が増える妊娠後期には、自然な抜け毛の数が減少し、出産後は、1日100本以上脱毛することから、すごい抜け毛だと驚く人も多いようです。

出産後2～5ヶ月続き、約1年ほどで元に戻るといわれています。東洋医学では、髪は血余《けつよ》といい、体の元気が深く関係しています。産後は授乳、睡眠不足と疲労が続く時期です。まずは疲労回復を心がけ、良く噛んで食べ、血液循環をよくすることが肝心です。

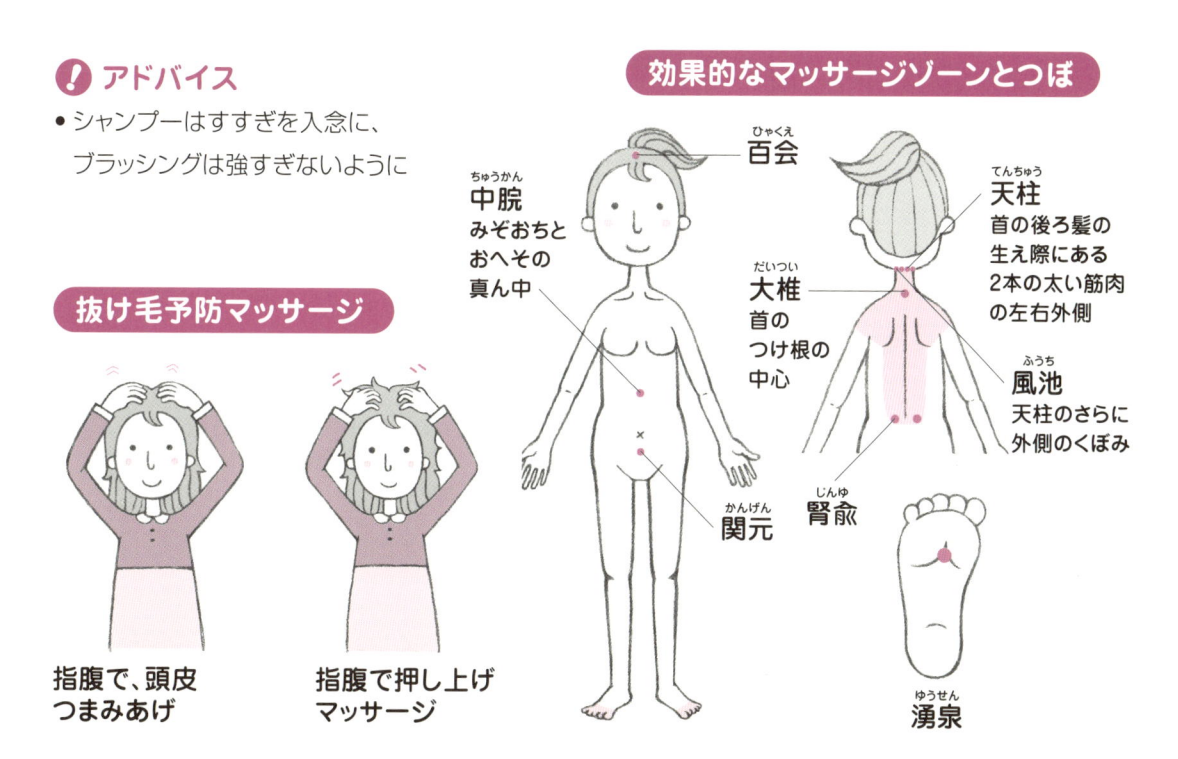

アドバイス

- シャンプーはすすぎを入念に、ブラッシングは強すぎないように

抜け毛予防マッサージ

指腹で、頭皮
つまみあげ

指腹で押し上げ
マッサージ

効果的なマッサージゾーンとつぼ

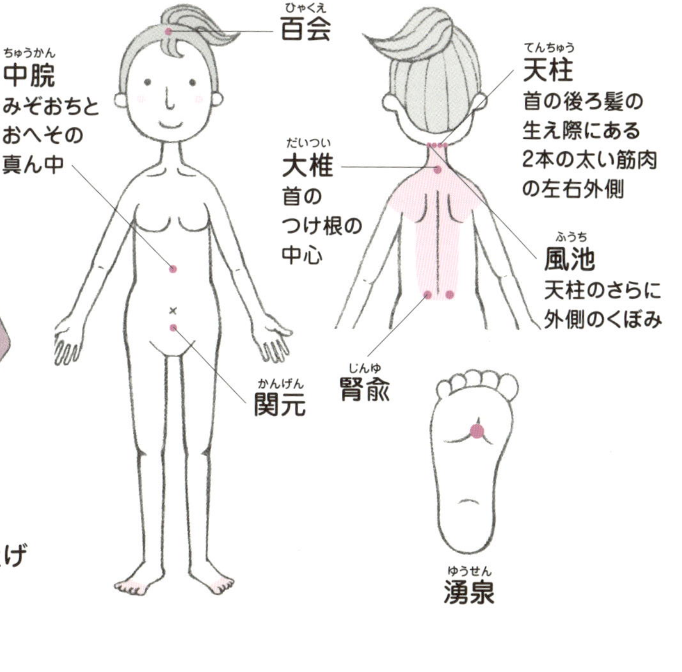

乳汁分泌不足

　おっぱいは血液です。出産は大仕事、産後の疲れが残っている場合は、疲労回復させることにエネルギーが使われます。お母さんの体が回復してくれば、おっぱいは湧いてくるはずです。疲労回復と肩こり解消を目指して、血液循環をよくしていきます。疲労回復には消化のよいものを食べて、温かい飲み物で水分補給をしてください。

　また、産後のイライラなどもおっぱいの流れを悪くするので、積極的に気分転換を図りましょう。おっぱいがよく出るようになるには、赤ちゃんにおっぱいを吸わせる刺激も必要です。赤ちゃんの飲み方や飲ませ方が気になった場合は、出産した病院や助産師さんに相談しましょう。おっぱいが作られるしくみや、妨げになる要因を知っていると気持ちも楽になります。

アドバイス

- 脂っこい食べ物は避け、消化が良いもの、温かいものを食べる
- 産後の体をきつく締めない ブラジャー着用と下半身の保温
- 産後の疲労回復を目指す
- 過労と睡眠不足に注意
- 頻回授乳をする

効果的なマッサージゾーンとつぼ

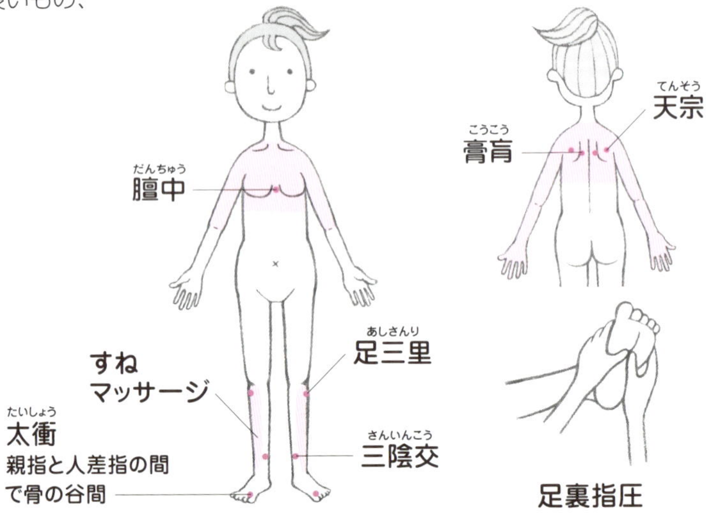

目の疲れ

産後の不快症状として、目の疲れを訴えるお母さんがいます。産後は、自分自身をいたわって、体も目も休ませてあげることが必要です。

初めての子育ては、慣れない事や心配な事ばかりです。そこで本やインターネットから知識を得ることが多いようです。特に現代は、仕事でも家庭でもパソコンを使うことが多くなっていますから、常日頃から目の疲れを感じている方が多い上に、産後も酷使しがちです。目が疲れると頭まで痛くなってきます。頭や顔の緊張を取り除くことも必要です。また目の疲れから首筋や肩がこりやすくなることもあります。首や肩のこりを解消するストレッチなどをして、目の疲れをとりましょう。

アドバイス

- まぶたに温湿布をする
- 肩こり解消ストレッチで首や肩のこりをとる
- パソコンなど目を酷使するものを控え、
  なるべく目を休ませる

効果的なマッサージゾーンとつぼ

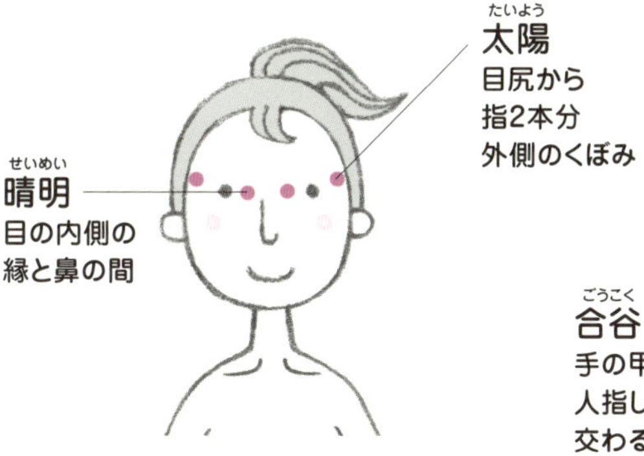

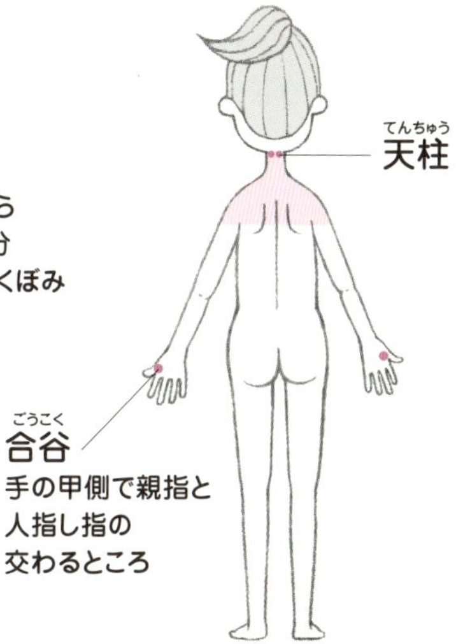

腱鞘炎

腱鞘炎は使いすぎによっておこります。特に産後は腕の腱鞘炎になりやすく、毎日使ってしまうので痛みがとれるまでに時間がかかり、長引くと繰り返しやすくなります。

赤ちゃんが産まれた時はおよそ3000gとしても、すぐに5000～6000gに成長します。赤ちゃんの体重は増えても、おっぱいと抱っこは同じように続きます。

でも、そのうち赤ちゃんにははいはいや歩く時代がやってきますが、子育ては毎日続きます。この際、疲労回復期間と割り切って安静にすることが回復への近道です。抱っこも長時間続くと、腕の痛みだけではなく首、肩、腕、手指などに疲れが溜まり、腰痛や肩こりにもなります。

こんな時はすぐ病院へ!

- 痛みがひどく、熱をもっている状態が続く

アドバイス

- 痛みがあり熱をもっている時は、安静にして氷で冷やし炎症を抑える
- 添い乳姿勢でなるべく抱っこの負担を軽くする
- スリングやおんぶひもの活用
- 手首をお湯で温める手首湯を試す

効果的なマッサージゾーンとつぼ

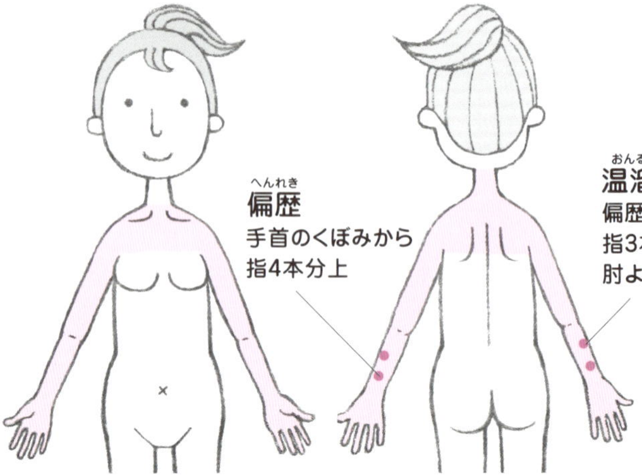

番外編

ベビーマッサージを体験して

ベビーマッサージを体験した方から感想を寄せていただきました。すぐに効果が感じられた方や、しばらく続けて様子をみたいという方まで 個々に感じることはさまざまです。本書を手に取っていただいた方に、参考までに紹介させていただきます。

お母さんたちの声

- 風邪をひきやすく、鼻詰まりも年中していたのですが、ベビーマッサージをするようになって改善してきました。ベビーマッサージをはじめる前は、病院で週に2回鼻吸引してもらっていましたが、今では行かなくなりました。
- 手足の冷えに悩まされていましたが、ベビーマッサージをはじめて手足が温かくなってきました。低体温児かと心配していましたが、体温も36.5度以上になってきました。
- ベビーマッサージの力の入れ具合や速さによって、こんなに気持ちのよさそうな顔をするものかと驚きました。以前と違う反応を見せてくれます。
- 親子のコミュニケーションの一つとして、気持ちいいし、楽しいし、うれしい反応もかえってくるので続けたいと思います
- 泣いてばかりいたのがほとんど無くなり、マッサージが好きみたいです。「マッサージするよ」と声かけすると、手足をバタバタさせて笑顔で喜んで待っています。
- ミルク飲んだ後にゼロゼロいっていたのが改善した。
- 肌にはりとツヤがでてきたように思います。子どもも気持ちよさそうにしていて、私自身も気持ちいい。
- はいはいが始まるとじってしていないのに、背中だけは気持ちようそうにやらせてくれます。できるところをできる時に取り入れているが、それでも待っているようなので、続けています。

● 咳と鼻水が止まった。3才の子にやると、とても気持ちいいと言っていた。今後も少しずつ続けていきたい。

● じっとしているのが苦手な子でしたが、マッサージをするときはおとなしくしてくれるようになりました。子どものためと思いベビーマッサージ教室に参加しましたが、私のためにもなりました。楽しいひとときを過ごせてよかったと思います。

● おっぱい飲んだ後に吐き戻しがすごくて、ベビーマッサージ教室に参加しました。ゲップがなかなで出ずに苦しそうな時もありましたが、嘔吐の回数がぐーんと減りました。早く知っていたらと思いました。

● はじめはうつぶせさえも嫌がっていましたが、続けているうちにあお向けから自分で寝返りを打つようになりました。顔の湿疹も少しうすくなり、かゆがり方が今までとは違います。

● 上の子にマッサージをしたところ、とても喜んでくれました。下の子が生まれてからスキンシップの時間が少なくなっていたことを感じたので、続けられたらと思いました。家庭でできると思わなかったので、もっと詳しく知りたいと思いました。

● 言葉がたくさん出るようになり、寝つきもよくなりました。

● 以前習ったオイルマッサージより手軽で、私にはこの方法の方が、かんたんで続けられそうだと思いました。最近活発になってきたように思うので、ベビーマッサージの効果なのかなと思っています。

● 自分自身も心地よかったし、子どももおとなしくマッサージされて気持ちよさそうにしていて嬉しくなりました。

● 顔の湿疹がひどくて改善されればとベビーマッサージをはじめました。すぐに効果がでているわけではありませんが、とにかく良く寝てくれるし、言うことなしです。

Q&A ベビーマッサージ

**Q 赤ちゃんの足の裏をさすると
くすぐったがって足をひっこめてしまいます。
強くこすった方がよいのでは？**

A　赤ちゃんには足の裏をこすると下肢をひっこめて刺激を避けようとする引っ込め反射があります。それらの触覚反射が3～5ヶ月頃には減弱してきて、随意的な反応に変わっていきます。くすぐったさは、生後6～8ヶ月頃から感じるようになるそうです。その頃から少し力の加減を変えていってはいかがでしょう。大事な事は、皮膚の状態を感じながら力を加減することです。

Q 強いさわり方と弱いさわり方の違いは？

A　赤ちゃんそれぞれに成長や個性によって、好む刺激の程度は違います。月齢に応じて、また体調に応じて力の加減をしていってください。そっとさわる刺激は、皮膚表面からたくさんの情報を感じ取れると思います。強い刺激は、血行をよくするような働きがあります。ベビーマッサージを行う人がたくさんの情報を感じ取れる手を作ってから、強い刺激方法も取り入れていってはいかがでしょうか。

**Q 寝返りを始めたら、マッサージが
手順のようにできなくなりました。
手順どおりでなければならないでしょうか？**

A　手順はあくまでも目安です。やりやすいように行ってください。寝返りしたら、背中をなでなで、足をなでなで、泣いたら抱き上げて、背中をそっとなでなでして、ベビーマッサージが楽しい時間となるように行っていきましょう。

Q お腹をさわると嫌がります

A　嫌がる部分は後回しでも構いません、またの機会にしてもよいでしょう。特にお腹は大切な場所ですから無理にさわったり、力を入れられるのを嫌がる場合があります。嫌がるようなら、好む場所から行っていきましょう。

背中や足は比較的喜ぶ場所です。子どもが喜ぶ場所を取り入れていき、全部行わなくても気にすることはありません。

Q おむつを脱がせた方がいいですか？

A ベビーマッサージを行っている最中に赤ちゃんはよくおしっこをします。飛んでも困らないように準備できていれば開放感を味合わせてあげてはいかがでしょうか。いつもおむつを着けているより、室内が適温なら裸も気持ちいいものです。

幼児になると、パンツを脱がされるのを嫌がるようになります。大事なプライベートゾーンであることを話しながら、子どもの気持ちを尊重しましょう。お尻はペロッとめくっていいですか?と尋ねながら、一緒に相談して決めるなどの配慮を心がけてください。無理に脱がせずに、できる箇所をできる時に、楽しくおこなっていきましょう。

Q ベビーマッサージをやりすぎて夜泣きや下痢が激しくなる場合というのはあるのですか？

A ベビーマッサージはコミュニケーションだけでなく、刺激療法としての意味合いもあります。治療などに応用する場合には、刺激の量が治療効果に関係してきます。刺激量は力の強弱、時間の長短が関係します。お子さんの年齢、体質、栄養状態、習慣などが刺激量を判断する条件になり、最も適切な刺激が求められます。

大人でもマッサージを受けた後、刺激量が多すぎればだるくなったり痛みを残す場合があります。お子さんも刺激が多いと疲れたり、症状が悪化する場合もあると考えられます。夜泣きや下痢が激しくなる場合も同じです。マッサージだけでなくそれ以外の様々な刺激が過剰だった場合も考えられます。日中の過剰な刺激や、食べ過ぎなども体や心には負担になります。必要量以上に、たくさん供給されたのだと思うとわかりやすいのではないでしょうか。

Q 湿疹が出来ている箇所へのベビーマッサージはどうすればいいですか？

A 湿疹や肌荒れで炎症を起こして赤くなっていたり、じくじくしていたりする箇所を直接マッサージすることは避けてください。直接炎症のある皮膚に刺激を与えると、さらに皮膚が荒れてしまうこともあります。保湿剤や、病院から処方してもらった薬を塗って、その部分への刺激は避けます。炎症のある箇所は熱を持っていますから、その熱を分散させる気持ちで周りをマッサージします。

ほっぺに湿疹があり、顔全体が赤くかゆがる場合は、顔やほっぺをマッサージするのは避けて、肩や首筋から背中や腕にかけて、また首から胸に熱っぽさを引いていくイメージでふれていきます。さらに下半身へ熱を下げるイメージで、膝から下、または大腿部から足にかけてをなで、さするとよいと思います。

Q お風呂でベビーマッサージを取り入れていきたいのですが？

A 入浴中は、自律神経の働きが活発になっています。マッサージも自律神経系に働きかけるものですので、入浴前や入浴中にマッサージを行うことは刺激が過剰になりがちですので避けたほうがいいと思います。

しかし、入浴中に、体を洗っていてこりなどを発見した場合には、その部分を過剰にならない程度にマッサージすることがあってもいいかもしれません。いずれにしても刺激が過剰にならないことを心がけましょう。お風呂では、汚れを落とすように洗うこと、すすぎをしっかりすること、温まることなどが入浴の目的ですので、ベビーマッサージをしているというよりも入浴中のコミュニケーションとしてふれているという考えではいかがでしょうか。

Q 寝返りが片方だけしかうまくできません。また片方の足だけ動かすので動かせない足をひっかいてしまいます。はいはいを始めたら、片足はいはいをしています。片足しかうまく動かせないので上手にはいはいができるようになるのか心配です。

A 寝返りの学習がまだ片方側しかできていない状態でしょう。体が覚えれば、出来るようになります。心配は要りません。まだできないほうの腕を上にあげて、足を体の反対側に倒します。その時にちょっと手を添えてコロンとしてあげるとかんたんに寝返りができるようになります。なかなかうまく動きださないように感じる足には、腰から足先までマッサージしていきましょう。

はいはいの足を片方だけ動かす場合には、バランスを整えることを目的にマッサージしていきます。股関節の状態に脱臼など医学的な問題がなければ、毎日下半身（足の内側、外側）と臀部マッサージを取り入れていきます。左右の内股のしわが同じになるようにマッサージしていきましょう。

Q オイルを使った方が手がスムーズに動きやすいのですが？

A このベビーマッサージはふれるという軽微な刺激に重点を置いています。しかし、お母さんあるいはお子さんの皮膚が乾燥していたりガサガサしている場合には、皮膚に余分な摩擦をおこさせないように、オイルや滑剤（パウダーなど）を使用するといいでしょう。

手のぬくもりを再び

筑波技術短期大学　鍼灸学科教授

形井 秀一

スキンシップの必要性が言われて久しいけれど、手のぬくもりはなかなか他者に届きにくい。届けたい思いのありかもなかなか見つけにくいのが現代という時代かも知れない。赤ちゃんにふれることを怖がるお母さんがいると聞くと、暗澹とした気分になる。

でも、もし、赤ちゃんにふれるきっかけが、マッサージという名のコミュニケーション手段であると、きっとそんなお母さんも気負いなくタッチできるようになるだろう。そして、赤ちゃんにふれることは、結局、自分の愛しい部分にふれることでもあるのだと気づく頃には、きっと上手なタッチができるようになっているに違いない。

けしてかっこよくもなく、むしろぶきっちょなくらいの私の友人が、少しずつ積み上げてきた赤ちゃんマッサージの活動を本にするという。ごつごつとした手で、それでも、他者に柔らかな思いを伝えたい気持ちを形にしようと努力してきた著者2人に、柔らかな握手と暖かな拍手を送りたい。

おわりに

この本を手にとって読んでくださった方へ

辻内 敬子
小井土 善彦

さて、ベビーマッサージが身近に感じられ、私にもかんたんにできそう、楽しく一緒にやってみよう、と思ってくださったでしょうか?ベビーマッサージはむずかしいものではありません。ベビーマッサージの時間が楽しくそして待ち遠しいものになることを期待しています。

自分の子どもが生後すぐにアトピーでかゆがり、眠れぬ夜を過ごした思い出があります。夜泣いている子を交代で抱っこしていた時もありました。自分が小さな頃、お腹が痛いと言えば、母代わりの祖母の手で撫でてもらっていました。今思い返せば「へんなれ、あっぽなれ、へんなれ、あっぽなれ」と祖母が唱えていた言葉は、「おならになあれ、うんちになあれ」だったようです。手当ても懐かしい思い出も、温かい手の温もりと共にあります。

私たちは、女性と子どものための女性鍼灸師グループ「ぷれる」のメンバーと共に東洋医学的な考え方を基に始めた「かんたんで手軽にできるベビーマッサージ」が、実は病気の予防や赤ちゃんのちょっとした症状の改善にも役立つ事をお伝えしたいと思っています。ベビーマッサージが、もっと気軽に気やすく赤ちゃんにふれていくきっかけになることを望んでいます。皆さんも、肩の力を抜いて子どもと接してみてください。一日5分間、優しい語りかけと共にベビーマッサージをしましょう。ベビーマッサージは、「お母さんの元気」と「赤ちゃんの元気」を育てます。

本書の刊行にあたり、序文を寄せてくださった明治鍼灸大学の矢野忠先生、筑波技術短期大学の形井秀一先生、そして本書の作成にかかわってくださった方々へ御礼申し上げます。

〈参考文献〉

- 「はりきゅう理論」社団法人東洋療法学校協会編（医道の日本社）
- 「東洋医学概論」社団法人東洋療法学校協会編（医道の日本社）
- 「特殊マッサージ全科　臨時増刊 No.5」（医道の日本社）
- 「臨時増刊　一冊まるごとお灸特集」（医道の日本社）
- 「小児針法」米山博久・森秀太郎著（医道の日本社）
- 「女性のための東洋医学入門」矢野忠著（日中出版）
- 「鍼灸で治す　毎日ライフ 1998 年 6 月号」（毎日新聞社）
- 「レジデントノート　2002 年 2/3 月号」（羊土社）
- 「女性の一生と漢方」石野信安著（緑書房）
- 「赤ちゃん体操とマッサージプログラム」タマラ・メイアー著　宮下充正・林 夕美子訳（築地書館）
- 「赤ちゃんマッサージの本」ティナ・ハイヌル著（ブラザー・ジョルダン社）
- 「痛いの痛いのとんでけ・生まれてから3歳までの赤ちゃんマッサージ」永谷義文著（雄渾社）
- 「ベビーマッサージ」アメリア・オーケット著　山西みな子監修（メデイカ出版）
- 「わかりやすい小児鍼の実際」谷岡賢徳著（源草社）
- 「小児鍼受療者の実態とその背景」野口栄太郎、谷万喜子著（日本東洋医学会）
- 「赤ちゃん・幼児の医学事典」辻山タカ子監修（成美堂出版）
- 「あん摩マッサージ指圧理論」社団法人東洋療法学校協会編（医道の日本社）
- 「鍼灸 OSAKA 49 号　特集小児鍼再考」（森ノ宮医療学園出版部）
- 「治療家の手の作り方」形井秀一著（六然社）
- 「小児推拿広義」（中国書店）
- 「小児科診療　増刊号」（診断と治療社）
- 「図説東洋医学」代田文彦共著（学研）
- 「粗食のすすめ」幕内秀夫著（東洋経済新報社）
- 「母乳育児成功のために」（日本母乳の会）
- 「だれにでもできる母乳育児」（メディカ出版）
- 「楽しくお産、楽しく子育て」（東京医学社）
- 「周産期相談」（東京医学社）
- 「プリンシプル産科婦人科学」（メジカルビュー社）

著者紹介

辻内敬子（つじうち・けいこ）

1957年 千葉県生まれ。鍼灸按摩マッサージ師。1986年、湘南鍼灸マッサージ学校(現:湘南医療福祉専門学校）卒業。1986から89年まで、天津と広州中医学院（現:広州中医薬大学）留学。1989年、千葉県にて開業後、1992年連れ合いと「せりえ鍼灸室」開業。教職免許中学高校家庭科・保健免許有。全日本鍼灸学会会員、日本母性衛生学会会員、日本母乳の会会員、かながわ母乳の会会員、女性と子どものための女性鍼灸師グループ「ぷれる」会員、女性鍼灸師フォーラム代表。

【活動紹介】

1993年産後ママのための「うんだぁーと」を作ったメンバーとして東洋医学の普及活動。その後は、自らの高齢出産に、東洋医学を取り入れた経験から1995年「女性と子どものための女性鍼灸師グループぷれる」を仲間と共に立ち上げ活動開始。妊婦さんや赤ちゃんのための各種講習会を開催している。活動を通じて、1999年に「女性鍼灸師フォーラム」を立ち上げ、代表として現在まで「産科婦人科疾患と鍼灸治療」シリーズ学習会や講演会、広報活動をしてきた。女性が安全にそして安心して医療サービスを受けられるような環境を目指して活動中。地元では、ベビーマッサージを通して親子の交流と、お母さん同士の交流を図るお手伝いができるよう「子育てふれあい広場」を1997年から開催中。横浜の産院で「安産のためのツボ療法教室」を担当している。かながわ母乳の会の世話人。

小井土善彦（こいど・よしひこ）

1955年 京都市生まれ。鍼灸師。1991年、早稲田鍼灸専門学校卒。1992年 横浜桜木町にて「せりえ鍼灸室」開業・同院長。日本鍼灸師会会員、全日本鍼灸学会会員。

【活動紹介】

せりえ鍼灸室開業と同時に東洋医学普及会を設立。東洋医学出前講座を開いて職場や施設などに出向き、東洋医学の普及活動をするかたわら、産後のママのための「Wndぁーと」（うんだぁーと）を結成し、産後の健康講座を担当した。現在「子育て広場」をサポートしている。医師・歯科医師を対象とした鍼灸学講座の講師としても活躍中。鍼灸研究会「ここから会」代表。

● 主な著書（辻内敬子・小井土善彦共著 ）

- 「つわりの臓腑経絡的鍼灸治療　疾患別治療大百科シリーズ7　産婦人科疾患」（医道の日本社）

  そのほか、全日本鍼灸学会誌、母性衛生学会雑誌に、妊産婦に関する研究、論文等を発表している。

著者活動団体紹介

■「女性と子どものための女性鍼灸師グループぷれる」

自分たちそれぞれの妊娠・出産が契機となって、「女性と子どものための女性鍼灸師グループぷれる」を1995年に仲間と共に作る。定例学習会で学ぶ一方で、女性の健康を応援するセルフケアの手法を伝えていく活動開始。「妊産婦のお灸教室」、「赤ちゃんマッサーシ講習会」を開催してきた。また「いいお産の日」関連のイベントとして毎年「安産のためのツボ療法」講習会を開催。妊婦さん、赤ちゃんやお母さんに、東洋医学が効果を発揮すると言うことを知っていただく機会となるよう、「お灸で安産」、「子どものためのツボ療法」、「母と子のツボ療法」展示会を、講演会「母乳育児と東洋医学」、「子どものためのツボ療法」、「母と子のツボ療法」、「子どもの目のツボ療法」を開催。今後も自分達が学んだことを伝えるようなセミナーを開催予定。

http://homepage2.nifty.com/womf/pureru1.html

■「女性鍼灸師フォーラム」

1999年に「女性鍼灸師フォーラム」を結成。東洋医学の立場から、更なる女性医療の充実を目指すための学習会と、一般の方へ東洋医学の自然治癒力パワーを見直してもらうような広報活動中。

現在まで、「産科婦人科疾患と鍼灸治療」シリーズ学習会、2003年は厚生労働省、子ども未来財団主催、いいお産プロジェクト協賛「いいお産の日」イベントに参加。妊娠・出産に関わるツボ療法の安全性や有用性についてパネル展示など情報提供を行う。またタッチケアの必要性を伝える機会として2004年「赤ちゃんパワーアップ・あなたの元気は私の元気」講演会を開催。他業種の方々にも鍼灸治療を知っていただき、各地で妊娠・出産・母乳育児と子育てサポート隊が増えることを願って活動中。

http://homepage2.nifty.com/womf/index.html

■かながわ母乳の会

1999年、聖マリアンナ医科大学小児科医・堀内勁を代表として結成。赤ちゃんの健やかな成長を願い、「母乳育児」「HUG…胸に抱く育児」を支援する、専門家と一般市民の会。医療者、保育士、教育関係者など、出産・育児に関する様々な分野の専門家と一般市民が、母乳育児についての情報交換・研修を行う。

お産関係のイベントで集った仲間が神奈川でも集まろうと「横浜お産ネットワーク」を作り、1997～1999年まで「妊娠・出産・子育てみんなのなんでも公開相談会」を開催。

http://www.mamamel.com/kanagawa.htm

東洋医学《とうよういがく》で自然治癒力《しぜんちゆりょく》を高《たか》める
0ヶ月《げつ》からのベビーマッサージ&つぼ療法《りょうほう》

2005年6月1日　初版第1刷発行
2013年3月1日　初版第3刷発行

著　者　辻内 敬子／小井土 善彦
発行者　片岡　巖
発行所　株式会社 技術評論社
東京都新宿区市谷左内町21-13
電　話　03-3513-6150　販売促進部
03-3267-2272　書籍編集部
印刷／製本　株式会社加藤文明社

定価はカバーに表示してあります。

ISBN4-7741-2372-2 C0047

Printed in Japan

カバー・本文デザイン／松崎徹郎（エレメネッツ）　カバーイラスト／八巻昌代　本文イラスト／フクモトミホ　本文レイアウト／増田豊（エレメネッツ）
編集／桑原由希子　編集協力／西村雅子

【お問い合わせについて】
　本書に関するご質問については、本書に記載されている内容に関するもののみとさせていただきます。本書の内容と関係のないご質問につきましては、一切お答えできませんので、あらかじめご了承ください。また、電話でのご質問は受け付けておりませんので、FAXか書面にて下記までお送りください。なお、ご質問の際には、書名と該当ページ、返信先を明記してくださいますようお願いいたします。

問い合わせ先／株式会社技術評論社　書籍編集部
「東洋医学で自然治癒力を高める　0ヶ月からのベビーマッサージ&つぼ療法」係　FAX 03-3267-2269